# Tout est affaire de style

chez Bree Van De Kamp. Du carillon si singulier qui annonce les visiteurs jusqu'à l'élégance subtile qui se dégage de chaque pièce de sa maison, le maître mot est perfection. Et le dîner ne déroge pas à cette règle.

Chaque chose doit être accomplie dans les règles de l'art. C'est ce que Bree répète inlassablement. Une maison n'est propre que s'il ne reste pas le moindre grain de poussière ; une soirée n'est réussie que si chaque invité est traité comme un prince ; et il serait inimaginable pour Bree d'organiser un repas sans mettre à contribution ses prodigieux talents culinaires. Ainsi, dans le monde de Bree, un repas ne saurait se contenter d'être convenable. Les aliments ne sauraient être rien de moins que mijotés, braisés, moulinés, marinés, émincés ou flambés.

Cordon-bleu émérite, Bree Van De Kamp se définit par les chefs-d'œuvre qu'elle crée devant ses fourneaux. Jeune épouse aimante et dévouée, c'est à coups de dîners somptueux qu'elle a aidé son médecin de mari à gravir les échelons de l'hôpital. Devenue une mère attentionnée, elle a toujours fait en sorte que ses enfants trouvent chaque matin un petit-déjeuner préparé de ses blanches mains de même qu'un panier-repas garni des mets les plus appétissants. Elle est ensuite devenue présidente de l'Association des parents d'élèves ainsi que du Comité des bénévoles de la ville, car personne ne pouvait surpasser Bree Van De Kamp. Puis le temps a passé, la privant peu à peu de ses titres de gloire. Tous sauf un. Car jamais personne ne lui enlèvera celui de cuisinière hors pair.

Bree n'a pas sa pareille pour improviser une crème brûlée, et ses œufs en neige atteignent des sommets de

fermeté sans qu'elle ait l'air d'y toucher. Elle ne commettra bien sûr jamais l'impair d'ouvrir une boîte de raviolis pour le dîner. Dans un monde où les fast-food et les micro-ondes règnent en maîtres, Bree se dresse en porte-drapeau d'une époque révolue. Elle méprise tous ces gens qui osent acheter des salades toutes prêtes ou des plats surgelés. Car elle considère la préparation d'un repas comme toute chose dans la vie : une expérience à part entière, dont on ne peut apprécier véritablement les plaisirs qu'à condition de s'y impliquer totalement. Et une famille ne peut donner pleinement la mesure de son unité que si elle se rassemble autour d'un bon repas, mitonné avec amour pendant de longues heures.

Bree est intimement persuadée qu'une recette bien choisie peut régler n'importe quel problème. Sa fille Danielle perd les pédales ? Un bon milk-shake banane-chocolat lui remettra les idées en place. Et lorsque Andrew se montre renfrogné, elle lui prépare aussitôt son plat préféré pour lui remonter le moral. L'ironie des choses, c'est que son défunt mari et ses enfants ont toujours considéré cette sollicitude comme allant de soi, sans y prêter l'attention qu'elle mérite, alors que c'est justement pour leur plaire qu'elle s'est donné tant de mal.

Ces derniers temps, il est vrai que Bree a perdu ses repères. Bon nombre de ses idées préconçues ont commencé à lui échapper. Et il lui arrive parfois de penser que la seule chose à laquelle elle puisse encore se raccrocher, c'est une recette divinement exécutée. Quant à nous, simples mortels, nous restons bouche bée devant les prouesses dont une femme comme Bree est capable… tout en espérant secrètement être invités à sa table.

BVDK

# Velouté de basilic

RECETTE POUR ENVIRON 1 L DE SOUPE
ENTRÉE POUR 4 CONVIVES
TEMPS DE PRÉPARATION : 30 MIN
TEMPS DE CUISSON : 15 MIN

**2 poireaux de taille moyenne**
**30 g de beurre de baratte doux**
**1 oignon jaune (des Cévennes AOC) de taille moyenne, détaillé en dés de 1 cm**
**¾ de l de *Bouillon de poulet maison* (voir ma recette p. 37)**
**1 gros bouquet de basilic dont vous détacherez les feuilles (env. 200 g)**
**150 g de crème fraîche épaisse**
**Sel et poivre noir du moulin**
**½ citron non traité**

1. Jetez les extrémités vertes des poireaux. Tranchez les blancs en 2 et lavez-les à l'eau froide, en vous assurant de bien enlever le sable ou d'éventuels gravillons. Débitez les poireaux en tronçons de 1 centimètre et égouttez-les soigneusement.

2. Faites fondre le beurre à feu doux, dans une grande casserole. Ajoutez les poireaux et l'oignon. Laissez cuire 8 minutes environ, en remuant jusqu'à ce que les poireaux deviennent tendres et l'oignon transparent. Versez le bouillon et amenez à ébullition. Réduisez ensuite, couvrez et laissez mijoter 5 minutes à petit feu.

3. Filtrez le bouillon dans un récipient. Placez les poireaux et l'oignon dans le bol de votre robot ménager et mixez à vitesse modérée jusqu'à ce que le mélange soit homogène. Au fur et à mesure, allongez avec le bouillon filtré afin d'obtenir un doux velouté. Si vous servez la soupe immédiatement, incorporez le basilic dans le robot et mixez jusqu'à ce que le mélange soit onctueux. À l'aide d'une spatule, versez l'ensemble dans le faitout. Réchauffez jusqu'à ce que la soupe frémisse et ajoutez 100 grammes de crème fraîche. Goûtez et ajustez si nécessaire avec le reste de la crème. Salez, poivrez et additionnez de citron à votre convenance. Si

▸▸

vous souhaitez préparer la soupe à l'avance, recueillez la purée de poireaux et d'oignon (sans le basilic) et mélangez-la au bouillon. Cette base se conserve 2 jours au réfrigérateur. Au moment de servir, ajoutez le basilic à la moitié de cette base et réduisez en purée. Versez ensuite le tout dans le reste du mélange. Réchauffez, assaisonnez, et servez.

VARIANTE

## Velouté glacé au basilic

Préparez la base de la soupe et mettez-la au frais en suivant la recette ci-dessus. Lorsque le mélange est bien frais, mixez la base avec le basilic jusqu'à ce que la préparation obtenue soit bien onctueuse. Ajoutez la crème et assaisonnez de sel, de poivre et de jus de citron à votre convenance.

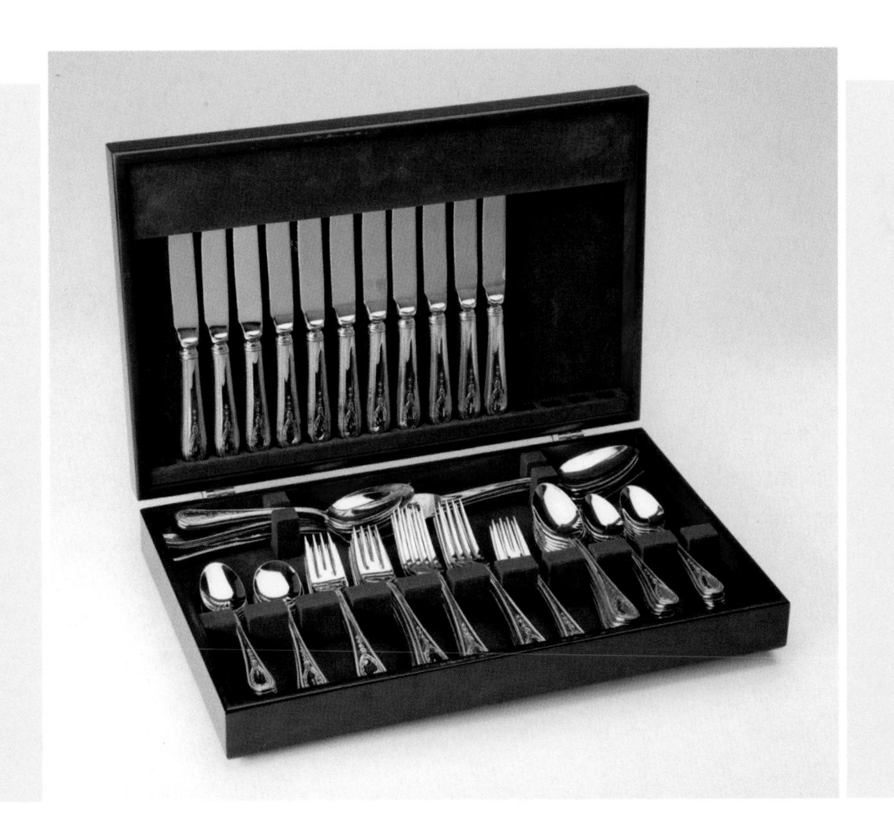

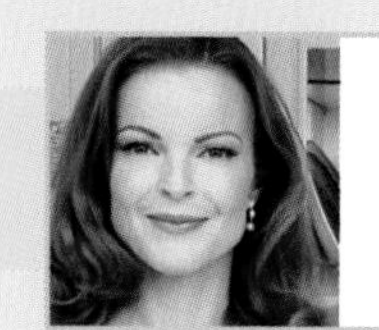

# LA LISTE DE COURSES DE BREE

## Bree Van De Kamp

- Jus d'oranges frais
- Farine biologique (non traitée)
- Œufs bruns fermiers bio
- Pain complet
- Émincés de blancs de poulet fermier
- Brocolis frais
- Sécateur (bien aiguisé)
- Filet mignon de porc
- Eau en bouteille (Mont Roucous)
- Échalotes grises
- Lotte de mer
- Saumon écossais fumé
- Insecticide (très puissant)
- Botte de poireaux
- Riz brun
- Champignons shiitake
- Ail rose
- Haricots verts extrafins
- Roquefort Papillon
- Choucroute crue
- Beurre de baratte doux (Label rouge)
- Carré d'agneau
- Fenouil frais
- Crème fraîche épaisse
- Cartouches de calibre 10 pour fusil de chasse
- Bandoulière en cuir pour fusil

# Velouté de tomate

Voici une soupe raffinée, onctueusement satinée et riche en saveur. Elle peut être servie telle quelle ou avec un filet de crème, un brin d'aneth ou un semis de croûtons. Comme elle est chic et jolie à voir et qu'elle peut être réalisée à l'avance, c'est une entrée parfaite pour un dîner de réception. Croyez-en mon expérience !

RECETTE POUR 1 L DE SOUPE
ENTRÉE POUR 4 CONVIVES
TEMPS DE PRÉPARATION : 20 MIN
TEMPS DE CUISSON : 25 MIN

**40 g de beurre de baratte doux**
**2 petites branches de céleri, coupées et finement tranchées (env. 80 g)**
**2 poireaux moyens, nettoyés (voir p. 5) et hachés menu (env. 400 g)**
**2 boîtes de 800 g de tomates rondes (pas des olivettes), avec leur jus**
**60 ml de xérès sec + un filet pour la touche finale**
**100 g de crème légère**
**Sel et poivre noir du moulin**

1. Faites chauffer le beurre à feu moyen dans une grande casserole jusqu'à ce qu'il prenne couleur. Ajoutez le céleri et les poireaux et faites-les revenir en remuant pendant environ 5 minutes. Pendant ce temps, versez les tomates dans un bol. Ôtez les trognons et jetez-les. Pressez sommairement les tomates à la main.

2. Versez le xérès dans la casserole, faites bouillir et laissez cuire jusqu'à évaporation presque totale. Ajoutez les tomates ainsi que leur jus et amenez à ébullition. Réduisez le feu de sorte que le mélange frémisse légèrement. Couvrez et laissez mijoter 20 minutes. Puis, hors du feu, laissez refroidir à température ambiante.

3. Dans votre robot, réduisez la soupe en purée jusqu'à ce qu'elle soit bien lisse. Passez-la au chinois dans une casserole suffisamment grande pour que cela ne déborde pas. Filtrez la plus grande quantité possible de purée à travers le chinois et jetez ce qui reste. Tout en remuant, ajoutez la quantité de crème désirée. Le velouté ainsi obtenu peut être préparé jusqu'à 2 jours à l'avance.

4. Réchauffez la soupe à feu doux. Arrosez d'un trait de xérès et assaisonnez de sel et de poivre à votre convenance. Servez bien chaud.

# Potage de maïs

RECETTE POUR 1,5 L DE SOUPE, ENTRÉE POUR 6 CONVIVES
TEMPS DE PRÉPARATION : 20 MIN
TEMPS DE CUISSON : 35 MIN

**6 épis de maïs ou env. 600 g de grains de maïs surgelés**
**40 g de beurre de baratte doux**
**2 petits oignons jaunes, finement hachés (env. 240 g)**
**1 petit poivron rouge, épépiné et détaillé en menus cubes (env. 220 g)**
**1 branche de céleri ébarbée et détaillée en menus cubes (env. 60 g)**
**Sel et poivre noir du moulin**
**¾ de l de *Bouillon de poulet maison* (voir ma recette p. 37)**
**1 grosse pomme de terre, épluchée et coupée en cubes de 1 cm (env. 300 g)**
**¾ cuill. à café de thym**
**1 feuille de laurier**
**25 cl de crème fraîche légère**
**3 petits oignons nouveaux émincés**

1. Si vous utilisez du maïs frais, égrenez-le en passant la lame du couteau de haut en bas pour détacher le plus grand nombre de grains sans entailler l'épi. Réservez.

2. Faites fondre le beurre à feu moyen dans un faitout jusqu'à ce qu'il devienne mousseux. Ajoutez les oignons, le poivron, le céleri et salez légèrement. Faites revenir, sans cesser de remuer, pendant 6 minutes. Ajoutez le bouillon de poulet, la pomme de terre, le thym et le laurier. Portez à ébullition, puis réduisez le feu de sorte que le mélange frémisse doucement. Couvrez et laissez mijoter 5 à 6 minutes, jusqu'à ce que les pommes de terre soient presque tendres.

3. Incorporez la crème et le maïs en mélangeant bien. Salez et poivrez selon votre goût, puis poursuivez la cuisson pendant 25 minutes, jusqu'à ce que les légumes soient tendres. Ajoutez les petits oignons en remuant toujours, rectifiez au besoin l'assaisonnement et servez bien chaud.

**Note :** Si vous désirez un potage végétarien, remplacez le bouillon de volaille par un bouillon de légumes. Par exemple, vous pouvez mettre les grains de maïs dans une marmite. Couvrez avec de l'eau froide et amenez à ébullition. Réduisez ensuite le feu et laissez mijoter 30 minutes. Filtrez la préparation et utilisez les ¾ de litre obtenus à la place du bouillon de volaille.

# Salade aux noix grillées pimentées, au bleu et aux oranges

Les salades sont plus ludiques lorsqu'elles régalent les sens de diverses saveurs, textures et couleurs. Cette recette en est un bon exemple, avec son mélange à la fois délicat, épicé et croquant.

RECETTE POUR 4 CONVIVES
TEMPS DE PRÉPARATION : 15 MIN
TEMPS DE CUISSON : 12 MIN

POUR LES NOIX

**75 g de morceaux (ou de cerneaux) de noix**
**1 cuill. à café d'huile végétale**
**½ cuill. à café de sucre**
**¼ de cuill. à café de piment rouge en poudre**
**¼ de cuill. à café de sel**

POUR LA SALADE

**2 laitues bien pommelées**
**2 oranges d'Espagne**
**2 cuill. à café de moutarde à l'ancienne**
**5 ou 6 cuill. à soupe d'huile d'olive vierge extra, première pression à froid**
**Sel et poivre noir du moulin**
**60 g de bleu d'Auvergne de premier choix, finement émietté**

1. Préchauffez votre four à 180 °C (th. 6). Dans un petit bol, mélangez l'huile et les noix afin qu'elles soient uniformément enrobées. Saupoudrez de sucre, de piment rouge en poudre et de sel, puis remuez de nouveau. Disposez les noix sur la plaque du four et faites-les cuire environ 12 minutes à 200 °C (th. 7), jusqu'à ce que l'arôme s'en dégage et qu'elles soient légèrement grillées. Retirez-les du four et laissez refroidir.

2. Ôtez les feuilles fanées ou jaunies des laitues. Enlevez les trognons en effectuant un mouvement circulaire de la main. Effeuillez les cœurs et retirez tout ou partie de la nervure centrale des feuilles. Coupez délicatement les plus grandes

►►

d'entre elles en menus morceaux et laissez les plus petites entières. Lavez-les soigneusement à grande eau, égouttez bien et séchez de préférence dans une essoreuse à salade. La laitue peut être préparée plusieurs heures avant dégustation. Dans ce cas, conservez-la dans un sac en plastique placé dans le bac à légumes du réfrigérateur.

3. Pelez les oranges et détachez les quartiers au-dessus d'un bol afin de récupérer le jus (voir la première étape de la recette de la *Salade d'ambroisie*, p. 234). À l'aide d'une écumoire, recueillez les quartiers. Incorporez la moutarde au jus de fruit restant, puis fouettez. Versez l'huile petit à petit, sans cesser de fouetter. Salez et poivrez à votre convenance.

4. Pour servir : mêlez avec précaution la laitue, le bleu et les quartiers d'orange dans un saladier. Versez la sauce et mélangez encore. Parsemez la salade de noix grillées et servez.

## Quelques termes de cuisine

Ne demandez plus à votre voisine la recette de cette entrée sophistiquée qu'elle prétend être « si facile » à réaliser. Elle vous ment. Faire la cuisine, c'est tout un art. Cela prend du temps, c'est éprouvant et, parfois même complexe.

Pourtant, il n'est pas nécessaire de se torturer l'esprit pour concocter de bons petits plats. Le plus déroutant, en fait, provient surtout du vocabulaire. Pour faire meilleur effet, une terminologie technique ou étrangère inutilement compliquée est souvent employée en cuisine, alors que la réalité est bien plus simple. Mon intention ici est de démystifier l'art culinaire. Voici des termes qui feraient froid dans le dos à une débutante. Mais quand vous aurez appris leur sens véritable, vous ne serez plus effrayée et votre cuisine deviendra votre meilleure amie.

**Al Dente**

Il s'agit d'un terme italien qui signifie tout bonnement « à la dent » et qui désigne la consistance à la fois ferme et tendre à laquelle doivent parvenir des pâtes au terme de leur cuisson pour prétendre à la perfection.

**Blanchir**

On plonge brièvement les aliments dans l'eau bouillante, soit pour les cuire en partie (par exemple des haricots verts, des petits pois), soit pour faciliter leur épluchage (par exemple des noisettes, des pêches, des tomates).

**Braiser**

Généralement utilisé pour la viande, ce mode de cuisson consiste à la faire revenir dans l'huile, puis à la laisser mijoter à feu doux avec un peu de vin, de bouillon ou d'eau dans un récipient fermé afin qu'elle conserve tous ses sucs.

**Bruschetta**

Version améliorée du pain grillé, celui-ci étant le plus souvent nappé de tomates et de basilic. Naturellement, afin de respecter la tradition italienne, vous suivrez le rituel élaboré qui consiste à frotter les tranches de pain avec des gousses d'ail, puis à les arroser légèrement d'un filet d'huile d'olive extra-vierge (première pression à froid). Salez, poivrez et passez ensuite trois minutes au four pour les dorer.

**Sauce demi-glace**

Sauce brune très parfumée et d'aspect brillant, servie avec une viande ou une volaille. Elle peut aussi être utilisée comme base pour d'autres sauces. On l'obtient en faisant épaissir un bouillon de veau bien gras, auquel on ajoute des dés de légumes, du concentré de tomates, du madère ou du xérès, avant de faire réduire jusqu'à ce que la sauce devienne très concentrée.

**Beurre clarifié**

Terme qui désigne une façon de faire fondre le beurre, à feu moyen, jusqu'à ne conserver que sa partie liquide, plus digeste.

**Gnocchis**

Boulettes italiennes, à base de semoule ou de pommes de terre et de farine.

**Macérer**

On laisse tremper un fruit dans une liqueur ou du vin. Ainsi, le fruit en absorbe tous les arômes, en même temps qu'il s'attendrit et libère son jus. Le même procédé peut être utilisé pour d'autres aliments.

**Pancetta**

Variante italienne du bacon. En fait, la pancetta provient du même morceau de poitrine de porc, mais la viande est salée et légèrement épicée, sans être fumée.

**Polenta**

Purée à base de farine de maïs typique du nord de l'Italie. Facile à accommoder, la polenta chaude se marie à toutes les garnitures. On peut aussi la mettre à refroidir dans un moule, en couper des parts et les faire frire à la poêle ou griller au four.

**Prosciutto di parma**

L'un des jambons crus les plus prisés au monde. C'est un jambon sec, c'est-à-dire qui n'est ni fumé ni cuit. C'est de là qu'il tire sa saveur, sa couleur et sa texture uniques.

Dernier conseil d'amie, n'oubliez pas que la cuisine doit être avant tout un plaisir. Toutes ces opérations sont sans douleur et, avec un peu de chance, vous pourrez même les trouver *amusantes*...

*Bon Appétit !*

# Mini-sandwichs

Ils accompagnent idéalement un brunch en famille ou un goûter entre amis à l'heure du thé. J'aime beaucoup les proposer lors de mes réunions associatives. Pour qu'ils soient meilleurs, je les prépare une heure ou deux à l'avance, puis je les enveloppe soigneusement dans un film protecteur avant de les placer au réfrigérateur.

RECETTE POUR 16 SANDWICHS PAR PRÉPARATION
TEMPS DE PRÉPARATION POUR CHAQUE GARNITURE : 10 MIN

## Olives et fromage frais

**80 g d'olives fourrées au piment**
**180 g de fromage frais nature (Saint-Moret ou carré frais), à température ambiante**
**Sauce pimentée (par exemple Tabasco)**
**8 tranches de pain de mie (voir note p. 18)**

1. Hachez finement les olives au couteau ou à l'aide d'un robot ménager. Ajoutez le fromage et la sauce piment à votre convenance, puis mixez jusqu'à ce que le mélange soit homogène.

2. Tartinez cette préparation sur 4 tranches de pain de mie. Recouvrez ensuite avec les 4 tranches restantes. Retirez la croûte des sandwichs avec un couteau et coupez-les en 4, soit en carrés, soit en triangles.

## Concombre à l'aneth et fromage frais

**36 rondelles très fines de petits concombres de serre**
**Sel fin**
**150 g de fromage frais relevé (Tartare, Boursin ail et fines herbes ou *cottage cheese*, etc.), à température ambiante**
**1 cuill. à soupe d'aneth fraîchement ciselé**
**8 tranches de pain de mie (voir note p. 18)**

▶▶

1. Étalez les tranches de concombre en une seule couche sur du papier absorbant. Saupoudrez légèrement de sel et laissez dégorger.

2. Mélangez intimement le fromage frais et l'aneth dans un petit bol. Tartinez cette préparation sur les 8 tranches de pain de mie.

3. Disposez les rondelles de concombre sur 4 tranches de façon à ce qu'elles se chevauchent légèrement. Recouvrez avec les 4 tranches restantes. Retirez la croûte des sandwichs avec un couteau et coupez-les en 4, soit en carrés, soit en triangles.

## Saumon fumé et câpres

**45 g de mayonnaise faite maison**

**10 g de câpres de la variété « Non pareilles », égouttées et hachées menu (câpres de qualité supérieure : plus petites, elles possèdent l'arôme le plus subtil)**

**Quelques tours de poivre du moulin**

**8 tranches de pain de mie (voir note ci-dessous)**

**120 g de saumon écossais fumé, finement tranché au couteau**

1. Mélangez la mayonnaise et les câpres dans un petit bol. Poivrez à votre convenance. Tartinez cette préparation sur les 8 tranches de pain de mie.

2. Disposez les tranches de saumon sur 4 tranches de pain. Recouvrez avec les 4 tranches restantes. Retirez la croûte des sandwichs avec un couteau et coupez-les en 4, soit en carrés, soit en triangles.

**Note :** Choisissez un pain de mie de qualité irréprochable et tranché finement.

# Œufs farcis à la diable

RECETTE POUR 24 PORTIONS
TEMPS DE PRÉPARATION : 35 MIN
TEMPS DE CUISSON : 11 MIN

POUR LES ŒUFS

**12 gros œufs frais fermiers**
**120 g de mayonnaise + 30 g à part**
**1 cuill. à café de moutarde**
**1 cuill. à café de sauce Worcestershire**
**½ cuill. à café de sel**
**Sauce au piment rouge (par exemple Tabasco) à votre convenance (facultatif)**

POUR LA GARNITURE

**Quelques brins d'aneth**
**Câpres de la variété « Non pareilles » égouttées**
**Paprika (Albert Ménès)**
**Anchois coupés en fines lanières**
**Olives noires ou vertes dénoyautées et coupées finement**
**Piments en conserve coupés en lamelles d'environ 2 cm**

1. Placez les œufs dans une casserole suffisamment grande pour les contenir sans qu'ils se chevauchent. Recouvrez-les de 8 centimètres d'eau froide et portez à ébullition. Réduisez le feu et laissez frémir 11 minutes.

2. Videz la casserole de son eau avec précaution et placez-la sous un filet d'eau froide que vous laisserez couler sur les œufs pendant 3 minutes. Un par un, faites alors rouler délicatement les œufs sur une surface dure afin d'en craqueler la coquille. Replacez-les dans l'eau et réservez jusqu'à ce qu'ils aient tout à fait refroidi.

3. Écalez les œufs en prenant garde de ne pas en érafler le blanc. Coupez-les en 2 dans le sens de la longueur, retirez les jaunes et placez-les dans le bol du mixeur. Veillez bien à ne surtout pas abîmer les blancs. Alignez ces derniers, face coupée vers le haut, sur une feuille de papier absorbant placé sur une plaque.

BRISER LA COQUILLE ET REPASSER LES ŒUFS SOUS L'EAU FROIDE VOUS FACILITERA LA TÂCHE POUR ÉCALER LES ŒUFS DURS.

4. Préparez ensuite la farce : mélangez la mayonnaise, la moutarde, la sauce Worcestershire, le sel (ainsi que la sauce pimentée, si vous le désirez) avec les jaunes d'œufs. Mixez au batteur jusqu'à obtenir une consistance légère et mousseuse. Les blancs d'œufs et la farce peuvent être préparés la veille. Recouvrez dans ce cas les blancs évidés d'une feuille de papier absorbant humidifiée, puis enveloppez-les dans du film alimentaire. Transvasez la farce dans un récipient fermé. Enfin, réservez le tout au réfrigérateur.

5. Pour servir : à l'aide d'une spatule, remplissez de farce une poche à douille garnie d'un embout en forme d'étoile. Placez les blancs sur le plat de service avant de les farcir. (Procéder ainsi est plus aisé, car les œufs une fois farcis sont délicats à manipuler ! Un lit de salade, telle que la romaine, coupée en fines lanières, les maintiendra bien en place sur le plateau.) Avec la poche à douille, ou bien à l'aide d'une cuillère, garnissez le creux des blancs d'œufs. Pour la touche finale, décorez ces œufs farcis à la diable comme bon vous semble. Disposez des lanières d'anchois ou de piment joliment arrondies, ajoutez un soupçon de paprika sur les olives ou bien des câpres… en un mot, laissez libre cours à votre imagination et amusez-vous ! Maintenez à température ambiante 15 minutes avant de servir.

# Salade César

RECETTE POUR 6 CONVIVES EN ENTRÉE OU 2 EN PLAT PRINCIPAL
TEMPS DE PRÉPARATION : 20 MIN

POUR LA SAUCE

**3 œufs durs (référez-vous à l'étape 1 des *Œufs farcis à la diable*, p. 19)**
**60 ml de jus de citron fraîchement pressé**
**1 cuill. à café de sauce Worcestershire**
**3 filets d'anchois marinés**
**1 gousse d'ail rose de Lautrec pelée et râpée au presse-ail manuel**
**3 cuill. à soupe de parmesan Reggiano râpé**
**2 cuill. à café de moutarde**
**170 ml d'huile d'olive vierge extra, première pression à froid**

POUR LA SALADE

**3 cœurs de romaine**
**Parmesan frais, détaillé en copeaux à l'aide d'un économe, c'est très chic**
**Croûtons (voir l'encadré ci-contre)**
**Filets d'anchois marinés (facultatif)**

1. Préparez la sauce : placez les jaunes des œufs durs (vous pouvez également hacher les blancs et les ajouter, ou bien les réserver pour une autre salade), le jus de citron, la sauce Worcestershire, les anchois, l'ail et la moutarde dans le bol d'un petit robot. Amalgamez jusqu'à ce que le mélange soit bien lisse. Puis ajoutez l'huile d'olive petit à petit, sans interruption, de façon à obtenir une sauce homogène. Cette préparation peut être réalisée la veille et conservée au réfrigérateur.

2. Retirez les feuilles vert foncé et le trognon de la salade. Coupez les cœurs en morceaux de 3 centimètres. Lavez-les soigneusement et égouttez bien, de préférence dans une essoreuse. Placez le tout dans un sac de conservation, sans tasser les feuilles, et réservez dans le bac à légumes de votre réfrigérateur.

3. Au moment de servir, placez la salade dans un grand saladier. Parsemez de parmesan puis mélangez bien. Versez la sauce progressivement, ajoutez les croûtons et mélangez. Servez sans attendre soit en dressant chaque assiette (ce sera plus esthétique), soit en faisant passer le saladier. Si vous le désirez, décorez d'anchois pour la touche finale ou bien servez-les à part.

## Le secret des croûtons réussis

Vous pouvez en confectionner autant que vous voulez, en fonction de la quantité de pain dont vous disposez. Ils se conservent très bien dans une boîte hermétique jusqu'à cinq jours à température ambiante. Les croûtons ajoutent une touche de croquant et de saveur à n'importe quelle salade ou potage. Ils conviennent particulièrement aux soupes crémeuses, comme la *Soupe de courge musquée* (voir recette p. 86) ou le *Velouté de tomate* (voir recette p. 8).

Choisissez un pain ferme de type baguette ou pain de campagne, dont la mie n'est pas trop compacte. Il est préférable d'utiliser celui de la veille pour que la croûte se détache aisément et qu'il puisse être découpé en cubes réguliers.

Détaillez le pain en cubes de 1 centimètre. Le saladier que vous utilisez ne doit pas être rempli à plus de la moitié de sa capacité. Versez de l'huile d'olive vierge extra dans la paume de vos mains, frottez-les l'une contre l'autre puis huilez l'intérieur du saladier. Ajoutez les petits cubes de pain en une seule fois et mélangez à la main jusqu'à ce qu'ils aient absorbé toute l'huile. Les cubes doivent être légèrement mais complètement imbibés. Si ce n'est pas le cas, huilez davantage vos mains et remuez de nouveau le pain. Vous pouvez également le parsemer de copeaux de parmesan, en procédant de la même façon.

Répartissez ensuite les morceaux de pain assaisonnés sur la plaque du four, sans les tasser. Faites-les griller à 180 °C (th. 6) pendant 5 minutes. Sortez la plaque du four et retournez délicatement les cubes de pain, avant de les réenfourner 5 minutes. Procédez ainsi plusieurs fois, jusqu'à ce que les croûtons soient dorés uniformément. Enfin, sortez-les du four et laissez-les refroidir.

# Plats principaux et accompagnements

## Dinde pochée à l'italienne

Voici une version simplifiée d'un plat italien classique, le *vitello tonnato*, cuisiné avec du veau. Personnellement, je préfère cette recette avec de la dinde. À vous de décider... Si la sauce mayonnaise peut être préparée à l'avance, la dinde en revanche ne doit en aucun cas être servie froide ; arrangez-vous pour qu'elle reste à température ambiante. Comble du sacrilège, ma recette est exceptionnellement réalisée avec de la mayonnaise industrielle.

RECETTE POUR 4 CONVIVES
TEMPS DE PRÉPARATION : 35 MIN
TEMPS DE CUISSON : 15 MIN

**POUR LA SAUCE**

**240 g de mayonnaise en pot (Maille, car elle est sans conservateurs)**
**1 boîte de thon (170 g) mariné à l'huile d'olive**
**1 cuill. à soupe de petites câpres (la variété « Non pareilles » est recommandée) ; vous pourrez en ajouter également à la fin**
**5 filets d'anchois (à votre convenance)**
**1 cuill. à soupe de jus de citron (ou davantage)**
**Sel et poivre noir du moulin**
**Persil plat haché (surtout pas de persil frisé)**

**POUR LA DINDE**

**1 kg de filet mignon de dinde**
**20 cl de vin blanc sec**
**2 carottes de taille moyenne, pelées et coupées en rondelles de 1 cm**
**2 branches de céleri, ébarbées et débitées en tronçons de 1 cm**
**1 oignon jaune (oignon doux des Cévennes AOC), coupé en lamelles de 1 cm**
**Sel**
**1 feuille de laurier**

1. Placez les morceaux de dinde dans une grande cocotte en fonte. Versez-y le vin puis répartissez les carottes, l'oignon et le céleri autour de la dinde. Recouvrez le tout d'eau froide. Ajoutez 1 pincée de sel et le laurier. Amenez à ébullition à feu vif, puis réduisez le feu pour que le mélange frémisse. Laissez cuire 30 minutes, jusqu'à ce que la viande ne soit plus rosée au centre du morceau le plus épais (un thermomètre de cuisson plongé dans cette partie doit indiquer 75 °C). Hors du feu, laissez la viande refroidir dans le jus jusqu'à température ambiante.

2. Pendant ce temps, confectionnez la sauce. Dans un robot, mélangez la mayonnaise, le thon, les câpres, les anchois (vous n'êtes pas obligée d'utiliser les 5 filets) et le jus de citron, jusqu'à ce que les anchois et les câpres soient finement hachés mais non pas réduits en purée. Versez le mélange dans un récipient, puis ajoutez le sel, le poivre et davantage de jus de citron si vous le désirez. La sauce devra rester fluide (pour en vérifier la consistance : versez-en sur le dos d'une cuillère, la sauce doit l'enrober parfaitement). Au besoin, fluidifiez-la petit à petit avec le jus de la viande, en ajoutant une cuillerée à la fois.

3. Retirez ensuite la dinde de la cocotte et essuyez-la. Coupez la viande en morceaux de 1 centimètre d'épaisseur. Disposez les tranches sur un plat de service, de façon à ce qu'elles se chevauchent légèrement. À la cuillère, déposez la mayonnaise sur les tranches afin de les enrober légèrement mais pas entièrement. Réservez à température ambiante.

4. Juste avant de servir, dispersez les câpres restantes et le persil haché sur la mayonnaise. Vous pourrez servir le reste de sauce à part.

LA DINDE SERA PLUS SAVOUREUSE SI ELLE N'EST PAS PLACÉE AU FRAIS. CEPENDANT, LE PLAT PRÉPARÉ PEUT SE CONSERVER UNE JOURNÉE ENTIÈRE AU RÉFRIGÉRATEUR. POUR CELA, IL EST IMPORTANT DE RECOUVRIR AVEC UN FILM PLASTIQUE ALIMENTAIRE.

# Dinde rôtie en sauce

RECETTE POUR 10 CONVIVES (AVEC DES RESTES)
TEMPS DE PRÉPARATION : 1 H
TEMPS DE CUISSON : 2 H 15 MIN

**1 dinde d'environ 6 kg, de préférence non congelée**
**1 cuill. à café de sel + quelques pincées pour assaisonner la dinde**
**¼ de cuill. à café de poivre noir du moulin + quelques pincées pour la dinde**
**2 carottes moyennes, épluchées et débitées en tronçons de 2,5 cm**
**2 oignons jaunes moyens, non épluchés, et coupés en 8 gros quartiers**
**2 branches de céleri, effeuillées et débitées en tronçons de 5 cm**
**85 g de beurre de baratte doux, ramolli**
**15 g de feuilles de sauge hachées**
**2 cuill. à soupe (env. 10 g) de thym**
**1 l de *Bouillon de poulet maison* (voir ma recette p. 37)**
**2 cuill. à soupe de Maïzena**
**En option : *Farce traditionnelle au pain de maïs* (voir ma recette p. 29)**

1. Retirez le cou et les abats de la dinde. Réservez le foie pour un autre usage ou jetez-le. Passez soigneusement la volaille, à l'intérieur comme à l'extérieur, sous l'eau froide. Égouttez-la avec soin et épongez-la avec du papier absorbant. Salez et poivrez généreusement à l'intérieur et à l'extérieur. Placez la dinde dans un plat à rôtir. Garnissez l'intérieur de la bête avec quelques morceaux de chaque légume et dispersez le reste tout autour. Ajoutez le cou et les abats dans le plat.

2. Mélangez le beurre, la sauge, le thym, le sel ainsi que le ¼ de cuillerée de poivre dans un robot. Mixez jusqu'à ce que les herbes soient finement hachées. En commençant par la base du cou, passez la main entre la peau et le blanc pour bien les séparer. Procédez en douceur pour ne pas déchirer la peau. Frictionnez les cuisses et le blanc avec le beurre aux herbes, en prenant soin de le répartir uniformément. Laissez la dinde reposer 30 minutes à température ambiante.

3. Entre-temps, placez la grille à mi-hauteur dans votre four et préchauffez celui-ci à 210 °C (th. 7). Faites rôtir la dinde jusqu'à ce qu'un thermomètre de cuisine inséré dans la partie la plus épaisse de la cuisse, indique 75 °C, au bout d'environ 2 heures et 15 minutes. Retirez et laissez reposer pendant la préparation de la sauce.

▶▶

4. Si vous avez préparé une *Farce traditionnelle au pain de maïs* (voir recette p. 29), mettez-la au four dès maintenant. Posez la dinde sur une planche à découper. Inclinez le plat au-dessus d'une casserole pour récupérer le plus possible de jus. Versez le jus dans le plat à rôtir et amenez à ébullition, tout en raclant bien le fond du plat pour éviter que cela attache. Filtrez-le et laissez reposer quelques minutes afin que la graisse remonte à la surface. Puis retirez-la à la cuillère.

5. Juste avant de servir, ajoutez le bouillon de poulet dans la casserole à feu très doux. Dans un petit bol, mélangez la Maïzena avec 6 centilitres d'eau jusqu'à obtention d'une pâte homogène. Ajoutez-la au bouillon et laissez frémir 1 à 2 minutes, afin qu'elle épaississe. Couvrez et laissez reposer pendant que vous découpez la dinde. Versez la sauce dans une saucière et servez-la séparément.

# Farce traditionnelle au pain de maïs

RECETTE POUR 10 CONVIVES
TEMPS DE PRÉPARATION : 25 MIN
TEMPS DE CUISSON : 1 H ENVIRON

**100 g de beurre de baratte doux + une noisette pour le moule**
***Muffins de maïs et babeurre*** **(voir recette p. 61)**
**130 g de noix de pécan grillées hachées (voir l'encadré p. 251)**
**1 oignon jaune doux des Cévennes (AOC), coupé en dés de ½ cm (env. 200 g)**
**1 branche de céleri, ébarbée et coupée en dés de ½ cm (env. 60 g)**
**1 cuill. à café de thym**
**½ cuill. à café de sauge**
**25 cl de** ***Bouillon de poulet maison*** **(voir ma recette p. 37)**
**Sel et poivre noir du moulin**
**2 œufs battus en omelette**

1. Placez la grille à mi-hauteur dans votre four et préchauffez celui-ci à 210 °C (th. 7). Beurrez un moule à gâteau carré de 20 centimètres de côté.

2. Préparez le pain de maïs en suivant la recette des *Muffins de maïs et babeurre* (voir p. 61) et versez la pâte dans le moule. Faites cuire pendant 25 minutes, jusqu'à ce que le pain soit doré sur le dessus et que le centre soit souple lorsque vous posez le doigt dessus. Sortez-le du four et laissez refroidir 10 minutes, avant de le démouler, puis laissez-le encore refroidir. Emballez ensuite le pain de maïs dans du papier aluminium. Vous pouvez le conserver à température ambiante pendant 2 jours.

3. Émiettez grossièrement le pain de maïs dans le bol du mixeur, puis ajoutez les noix de pécan. Faites fondre le beurre dans un grand poêlon jusqu'à ce qu'il devienne mousseux. Ajoutez l'oignon et le céleri. Salez légèrement et faites-les revenir pendant 5 minutes, jusqu'à ce qu'ils soient tendres, mais surtout pas colorés. Mettez le thym et la sauge, puis ajoutez le bouillon et laissez mijoter. Versez alors le contenu du poêlon sur le pain de maïs et mixez jusqu'à ce que les ingrédients soient bien mélangés. Au besoin, relevez de sel et de poivre. Ajoutez les œufs à cette préparation et mixez encore. Versez ensuite ce mélange dans un moule de 30 centimètres de diamètre. Recouvrez le tout d'une feuille d'aluminium.

4. Préchauffez votre four à 210 °C (th. 7). Laissez cuire pendant 15 minutes, puis retirez la feuille d'aluminium et laissez encore ¼ d'heure, jusqu'à ce que la croûte se colore et que la préparation soit bien cuite à cœur. Servez bien chaud.

# Canard braisé en deux temps

C'est l'un de mes plats favoris. Mieux vaut le préparer à l'avance pour que le canard s'imprègne de toutes les saveurs. Pour découper le canard, je vous conseille un couteau de chef de 25 centimètres à lame fine, bien affûtée, mais si vous préférez, vous pouvez aussi demander à votre boucher de le faire pour vous...

RECETTE POUR 4 CONVIVES
TEMPS DE PRÉPARATION : 1 H EN TOUT
TEMPS DE CUISSON : 1 H 30 MIN

**1 canard de 2,2 kg**
**2 carottes moyennes, épluchées et coupées en rondelles de ½ cm**
**2 oignons jaunes moyens, coupés en rondelles de 1 cm**
**2 cuill. à soupe (30 g) de concentré de tomates**
**6 cl de cognac**
**25 cl de vin rouge sec de bonne qualité**
**2 gros brins de romarin**
**2 gros brins de thym**
**2 grandes feuilles de sauge**
**1 feuille de laurier**
**2 cuill. à soupe de chapelure (voir note p. 213)**

PREMIÈRE ÉTAPE

1. Préchauffez votre four à 230 °C (th. 7/8). Coupez le canard en morceaux en procédant de la façon suivante : avec des ciseaux à volaille, découpez avec soin la carcasse. Écartez les ailes et les extrémités des pattes pour séparer celles-ci des magrets, puis découpez les pattes à l'aide des ciseaux. Plantez le couteau là où l'aile est reliée au blanc et coupez à l'aide des ciseaux. Tranchez maintenant les ailes et les pattes en 2 au niveau de l'articulation et coupez chaque magret en 2, en diagonale. Retirez la graisse qui dépasse, elle servira, avec le reste des ailes, la carcasse, le cou et les abats, à donner de l'arôme au ragoût.

2. Disposez tous ces morceaux, côté peau sur le dessus, dans un plat à rôtir suffisamment grand pour que les morceaux ne se chevauchent pas. Disposez les carottes et les oignons autour de la volaille. Faites rôtir 30 minutes. Retournez les morceaux, remuez les légumes et faites encore rôtir le canard de 20 à 30 minutes, jusqu'à ce qu'il soit bien doré.

▸▸

3. Sortez ensuite le plat du four. Mettez les morceaux de canard dans une cocotte suffisamment grande pour qu'ils ne se chevauchent pas. Penchez le plat à rôtir au-dessus d'une casserole pour recueillir la graisse (retirez-en le maximum à l'aide d'une cuillère). Réglez sur feu moyen. Ajoutez-y le concentré de tomates et remuez pendant 1 à 2 minutes, jusqu'à ce que le concentré change de couleur. Versez le cognac et faites cuire jusqu'à évaporation. Ajoutez le vin et portez à ébullition, en remuant bien pour faire fondre le concentré. À l'aide d'une cuillère, transvasez alors le mélange dans la cocotte contenant le canard, puis recouvrez le tout d'eau froide. Ajoutez le romarin, le thym, la sauge et le laurier. Portez de nouveau à ébullition à feu moyen. Laissez bouillir pendant 2 minutes, en retirant à la cuillère l'écume et la graisse qui remontent à la surface. Baissez le feu jusqu'à obtenir un léger frémissement. Couvrez et laissez encore mijoter pendant environ 40 minutes. Vérifiez à l'aide d'une fourchette que les morceaux sont bien tendres.

4. Retirez les morceaux de canard à l'aide d'une écumoire, en laissant la carcasse, le cou, les gésiers et les petits bouts d'aile. Disposez les morceaux recueillis sur un plat et laissez refroidir à température ambiante. Faites de même pour le bouillon. Couvrez et placez au réfrigérateur le canard ainsi que le jus, séparément, jusqu'à ce que la graisse remonte à la surface du bouillon et se solidifie, ce qui peut prendre de 6 heures à 2 jours.

### DEUXIÈME ÉTAPE

Retirez la graisse solidifiée à la surface du bouillon. Portez ce dernier à ébullition, à feu vif. Baissez ensuite le feu de sorte que le bouillon frémisse. Ajoutez la chapelure et laissez encore frémir jusqu'à ce que la sauce réduise de moitié et épaississe légèrement. Remettez ensuite les morceaux de canard dans la sauce jusqu'à ce qu'ils soient bien chauds, en retournant doucement 2 à 3 fois. Servez chaud, en versant un peu de sauce sur chaque part.

# Bratwurst au chou aigre-doux

RECETTE POUR 4 CONVIVES
TEMPS DE PRÉPARATION : 25 MIN
TEMPS DE CUISSON : 45 MIN

**3 cuill. à soupe d'huile végétale**
**8 petites bratwurst (d'env. 100 g chacune) ou 4 plus grosses**
**1 gros oignon jaune finement émincé (env. 300 g)**
**2 cuill. à soupe de vinaigre de vin blanc**
**2 cuill. à soupe de sucre**
**2 cuill. à soupe de gin (facultatif, mais c'est bien meilleur avec)**
**1 cuill. à café de sel**
**1 chou rouge de 1 kg, dont vous aurez ôté les feuilles noires**
**1 pomme acidulée, de type Granny Smith, épluchée, débarrassée de son trognon et coupée en dés de 1 cm**
**70 g de raisins secs blonds**
**Poivre noir du moulin**

LE VINAIGRE, OUTRE QU'IL AJOUTERA DE L'ARÔME ET DU PIQUANT À CETTE RECETTE, GARDERA AU CHOU TOUT SON CROQUANT ET SA COULEUR, DE MÊME QU'IL L'EMPÊCHERA DE PRENDRE UNE ÉTRANGE TEINTE GRIS BLEUTÉ.

1. Faites chauffer l'huile dans une grande cocotte (environ 28 x 7 centimètres) à feu moyen, jusqu'à ce qu'elle crépite. Ajoutez les saucisses et faites-les cuire pendant environ 8 minutes, en les retournant jusqu'à ce qu'elles soient bien dorées sur toutes les faces. Placez-les sur une assiette et réservez.

2. Faites revenir l'oignon, en remuant de temps en temps, pendant environ 10 minutes, jusqu'à ce qu'il blondisse.

3. Pendant ce temps, mélangez le vinaigre, le sucre, le gin (si vous le désirez) et le sel dans un petit bol, jusqu'à ce que le sucre soit fondu. Réservez. Coupez le chou en 4. Retirez son cœur et coupez-le en quartiers en diagonale pour obtenir des lamelles de ½ centimètre. Mélangez-les avec la pomme et les raisins dans un saladier.

4. Versez le mélange vinaigré sur l'oignon. Faites cuire en raclant bien jusqu'à ce que le vinaigre vienne à ébullition et réduise en partie. Ajoutez alors la moitié du mélange de fruits et de légumes, puis remuez jusqu'à ce que le chou soit bien enrobé de sauce. Après réduction, ajoutez le reste du mélange.

▶▶

5. Couvrez la cocotte, réduisez le feu et laissez mijoter pendant environ 20 minutes en remuant de temps en temps, jusqu'à ce que le chou devienne très tendre.

6. Ajoutez enfin les saucisses dans la cocotte et augmentez le feu. Laissez cuire jusqu'à quasi-évaporation de la sauce et jusqu'à ce que les saucisses soient bien chaudes. Poivrez à votre convenance. Servez les saucisses dans des assiettes individuelles sur un lit de chou, ou bien recouvrez un plus grand plat d'un lit de chou et disposez les saucisses sur le dessus.

# Escalopes de poulet Saltimbocca

Le mot italien *saltimbocca* se traduit littéralement par la métaphore « qui saute en bouche ». Malgré cela, ce plat reste l'un de mes préférés. Attention, prenez bien garde à ne pas lier les feuilles de sauge avec des cure-dents, car il faudrait ensuite les retirer après cuisson. Cachez-les plutôt sous le *prosciutto* (jambon de Parme) afin qu'elles restent en place et apparaissent par transparence après cuisson. De moelleux épinards sautés, de tendres haricots verts au beurre ou des *Tomates rôties à la provençale* (voir recette p. 56) pourront accompagner merveilleusement ce plat.

RECETTE POUR 4 CONVIVES
TEMPS DE PRÉPARATION : 25 MIN
TEMPS DE CUISSON : 15 MIN

**4 blancs de poulet de 170 à 200 g chacun, sans os et sans peau**
**Sel et poivre du moulin**
**16 feuilles de sauge**
**4 tranches de prosciutto di Parma (jambon de Parme)**
**3 cuill. à soupe d'huile végétale**
**2 ou 3 poignées de farine ordinaire (Francine, type 45)**
**6 cl de marsala (plus aromatique) ou de vin blanc sec**
**25 cl de *Bouillon de poulet maison* (voir ma recette p. 37)**
**10 g de beurre de baratte doux, coupé en 8 petits morceaux**

1. Coupez les blancs de poulet en diagonale, pour obtenir 2 parties égales. Si le filet – le petit morceau qui longe le dessous du blanc – se détache, remettez-le en place d'une simple pression des doigts.

2. Détachez un morceau de film alimentaire de 60 centimètres et pliez-le en 2 pour obtenir un rectangle. Posez-le à plat sur une surface solide et disposez 2 blancs de poulet sur le côté droit, en les espaçant de quelques centimètres. Repliez le côté gauche du film sur les morceaux afin qu'il les recouvre complètement. Avec le côté dentelé d'un attendrisseur, aplatissez les morceaux de sorte qu'ils aient 1 centimètre d'épaisseur (ne vous inquiétez pas s'ils présentent une forme irrégulière). Procédez de même avec les morceaux restants. Défilmez-les, puis salez et poivrez les 2 côtés des blancs aplatis.

▶▶

3. Disposez ensuite 2 feuilles de sauge sur chaque blanc de poulet et recouvrez-les de ½ tranche de prosciutto. Peu importe si le jambon ne recouvre pas totalement les blancs. Replacez le film sur les morceaux et tapotez doucement le jambon à l'aide de l'attendrisseur pour que la sauge et le jambon adhèrent bien au blanc. Mettez les escalopes ainsi préparées dans un plat. Répétez l'opération avec le reste du poulet, la sauge et le jambon, en changeant le film alimentaire dès qu'il commence à s'abîmer. Vous pouvez de cette manière préparer les escalopes plusieurs heures avant de les cuisiner. Recouvrez le plat avec du film alimentaire et placez-le au réfrigérateur.

4. Faites chauffer l'huile à feu moyen dans une sauteuse de 30 centimètres de diamètre, jusqu'à ce qu'elle crépite. Pendant ce temps, étalez un peu de farine sur une assiette et farinez la moitié des escalopes. Tapotez-les légèrement afin d'enlever l'excès de farine, tout en veillant à maintenir en place le jambon et la sauge. Placez les escalopes farinées, côté jambon, dans la sauteuse et faites-les cuire jusqu'à ce qu'elles soient bien dorées. Retournez-les et laissez-les encore pendant environ 2 minutes, jusqu'à ce que la viande blanchisse. Retirez alors les escalopes et placez-les sur une assiette. Farinez les autres morceaux et procédez de la même façon.

5. Retirez ensuite la graisse de la sauteuse et remettez-la sur le feu. Versez-y le marsala et portez à ébullition, tout en raclant bien le fond de la poêle pour éviter que cela attache. Lorsque le marsala est presque évaporé, versez le bouillon de poulet. Portez à ébullition et laissez bouillir jusqu'à ce que la sauce réduise de moitié. Ajoutez les morceaux de beurre et faites tourner la poêle jusqu'à ce que le beurre soit fondu. Disposez alors toutes les escalopes dans la sauce, en les faisant se chevaucher si nécessaire pour qu'elles tiennent. Maintenez l'ébullition tout en recouvrant les morceaux de temps en temps de sauce à l'aide d'une cuillère. La sauce doit être suffisamment épaisse pour enrober légèrement la cuillère. Retirez la poêle du feu et disposez 2 escalopes avec un peu de sauce sur chaque assiette.

# Bouillon de poulet maison

Vous ne trouverez jamais de bouillon de poulet tout prêt chez moi. En fait, cela demande si peu d'effort de le préparer soi-même qu'il me semble parfois que ceux qui utilisent du bouillon de volaille en poudre ou en cubes sont de véritables barbares, ou des irresponsables. Enfin, chacun fait ce qu'il peut... Quoi qu'il en soit, pour moi, c'est absolument impensable.

RECETTE POUR ENVIRON 2,5 L DE BOUILLON
(2,37 L EXACTEMENT)
TEMPS DE PRÉPARATION : 20 MIN
TEMPS DE CUISSON : 4 À 6 H

**1,5 kg de morceaux de carcasse, de cous et d'ailes de poulet**
**250 g de gésiers de poulet**
**2 carottes moyennes, épluchées et coupées en 2 dans le sens de la longueur**
**1 branche de céleri**
**1 oignon jaune moyen, non épluché, coupé en 4**

1. Passez les morceaux de poulet sous l'eau froide et égouttez-les bien. Mettez-les dans une grande marmite d'une contenance de 8 litres environ, et ajoutez les légumes. Recouvrez le tout de suffisamment d'eau pour laisser au moins 5 centimètres au-dessus, et faites bouillir à feu vif.

2. Réduisez ensuite le feu afin d'obtenir un léger frémissement. À l'aide d'une écumoire, retirez l'écume et la graisse à la surface. Laissez mijoter pendant 4 à 6 heures, en écumant de temps en temps. Si le bouillon ne recouvre plus les ingrédients, ajoutez de l'eau.

3. Versez le bouillon dans un chinois au-dessus d'un grand saladier. Laissez refroidir à température ambiante, puis placez au réfrigérateur. Retirez la graisse qui remonte à la surface et jetez-la.

4. Le bouillon peut se conserver jusqu'à 4 jours au réfrigérateur. Vous pouvez également le transvaser à la louche dans des barquettes de congélation et ainsi le garder au congélateur pendant 3 mois.

Bien qu'elle n'entre pas à proprement parler dans la catégorie des maîtresses de maison, nous mettrons tout de même la biblique Ève au sommet de la liste de ces femmes désespérées qui ont marqué l'Histoire, pour la simple et bonne raison qu'elle a succombé à la tentation et commis le péché originel.

Dans le livre de la Genèse, c'est en mangeant le fruit défendu d'un certain arbre qu'Ève a causé sa chute et celle d'Adam du Jardin d'Éden. Il est généralement admis que ce fameux fruit était une pomme, mais la Genèse se contente de parler d'un « fruit », sans plus de précisions. Et même s'il est techniquement possible qu'Adam et Ève aient été chassés du Paradis à cause d'une orange, d'une poire ou même d'une mangue, nous n'en croyons rien. Car nul autre fruit que la pomme ne possède un croquant aussi craquant.

Quand on y réfléchit, il n'est pas surprenant que la ruine de l'humanité soit due à un aliment. Outre que l'on trouve quelque 311 références à des « aliments » dans la Bible (124 pour le seul mot « fruit »), il est incontestable que l'alimentation, synonyme de nourriture, de réconfort et de plaisir, était très présente à l'esprit des premiers hommes. Certaines choses sont vraiment éternelles...

Vous connaissez la suite. Satan prend la forme d'un serpent pour persuader Ève de goûter au fruit de l'Arbre de la Connaissance du Bien et du Mal. Le reste appartient à l'Histoire. Ève croque la pomme et convainc Adam de faire de même. Dieu les chasse du Paradis et les envoie dans ce monde imparfait qui est le nôtre – pourtant si précieux à nos yeux – et sans lequel, après tout, nous n'aurions pas connu nos chères *Desperate Housewives.*

Regardons les choses en face. Nous sommes tous soumis à la tentation. Nous voulons tous ce que nous n'avons pas. Désespérément. Nous sommes prêts à tout pour le posséder. Que ce soit un fruit, un beau plombier ou une promotion, nous avons tous commis un jour des actes désespérés pour obtenir quelque chose.

Ne jetons pas la pierre à Ève, elle n'a fait que nous ouvrir la voie.

# Soufflé retombé aux pommes

Il s'agit vraiment d'un soufflé que l'on fait cuire, puis qu'on laisse retomber, ce qui donne un gâteau moelleux et très parfumé. Il peut aussi bien être consommé tiède qu'à température ambiante, avec de la glace ou de la crème fouettée, ou encore nature.

RECETTE POUR 8 CONVIVES
TEMPS DE PRÉPARATION : 20 MIN
TEMPS DE CUISSON : 1 H EN TOUT

30 g de beurre de baratte doux + une noisette pour le moule
70 g de sucre semoule + un peu pour le moule
4 pommes Golden de taille moyenne (env. 750 g)
½ cuill. de cannelle en poudre
2 gros œufs fermiers dont vous prendrez soin de séparer le blanc du jaune + 2 blancs d'œufs supplémentaires
50 g de chapelure (voir note p. 213)
Sucre glace

1. Préchauffez votre four à 210 °C (th. 7). Beurrez un moule à gâteau de 22 centimètres de diamètre et saupoudrez-le de sucre en recouvrant bien les côtés ainsi que le fond.
2. Épluchez les pommes et retirez le trognon et les pépins, puis détaillez-les en tranches épaisses de 1 centimètre. Faites fondre le beurre à feu doux dans une grande poêle. Ajoutez les pommes et la cannelle. Couvrez et laissez cuire environ 30 minutes en remuant de temps en temps, jusqu'à ce que les pommes soient tendres. Laissez refroidir à température ambiante.
3. Écrasez inégalement les pommes tièdies à l'aide d'une fourchette. Dans un saladier, fouettez le sucre et les jaunes d'œufs jusqu'à ce que le mélange blanchisse légèrement. Ajoutez la purée de pommes et la chapelure, puis mélangez bien.
4. Montez les blancs en neige dans un saladier à part, jusqu'à ce qu'ils soient bien fermes, puis incorporez-les délicatement aux pommes pour alléger la préparation. Versez-la dans le moule et laissez cuire environ 30 minutes, jusqu'à ce que le soufflé soit bien doré et que le centre soit ferme. Laissez ensuite tiédir, de préférence sur une grille, pendant 15 minutes.
5. Retournez le gâteau sur un plat de service. Son apparence n'a guère d'importance, puisque le gâteau sera saupoudré de sucre glace. Laissez-le tiédir ou refroidir à température ambiante. Saupoudrez-le abondamment de sucre glace juste avant de servir.

# Susan et Bree...

De : MayerArt@wisterialane.com
À : BVDK@wisterialane.com

---

Bree,
Je me demandais si tu accepterais de me donner la recette de cet osso-buco super-génial que tu nous as servi l'autre soir. Je suis sûre que je trouverai un moyen de le rater, même en suivant tes instructions, mais qui ne tente rien n'a rien !

À propos, j'ai halluciné ou je t'ai vue dormir sur ton gazon ce matin ? Réponds-moi dès que tu pourras.

Susan !

# Osso-buco d'agneau

Cette recette recèle un secret, ma petite touche personnelle : une pointe de cannelle. Celle-ci mettra en valeur le goût prononcé de la viande d'agneau. Il existe deux façons de servir ce plat, mais, croyez-en mon expérience, l'une ou l'autre conviendra parfaitement au plus mondain des dîners.

RECETTE POUR 4 CONVIVES
TEMPS DE PRÉPARATION : 25 MIN
TEMPS DE CUISSON : 2 H 10 MIN

**4 tranches de jarret d'agneau de 350 g chacune**
**Gros sel et poivre noir du moulin**
**60 ml d'huile de colza**
**1 gros oignon blanc, taillé en dés de ½ cm (env. 220 g)**
**1 grosse carotte épluchée dont vous aurez retiré les extrémités, taillée en dés de ½ cm (env. 90 g)**
**2 petites branches de céleri ébarbées et taillées en dés de ½ cm (env. 60 g)**
**4 gousses d'ail hachées**
**25 cl de vin rouge sec**
**40 cl de *Bouillon de poulet maison* (voir ma recette p. 37)**
**2 feuilles de laurier**
**1 bâton ou 1 cuill. à café de cannelle en poudre (facultatif)**

1. Ôtez au maximum le gras des jarrets en prenant soin de laisser la membrane qui les recouvre, car celle-ci maintiendra les morceaux ensemble pendant la cuisson. Appliquez une quantité généreuse de sel et de poivre sur tous les côtés.

2. Utilisez une cocotte en fonte suffisamment grande pour pouvoir contenir la viande sans que les tranches se chevauchent. Faites chauffer l'huile à feu moyen jusqu'à ce qu'elle crépite. Ajoutez les jarrets et faites-les revenir en les retournant jusqu'à ce qu'ils soient dorés sur toutes leurs faces. Si la graisse commence à éclabousser, réduisez légèrement le feu. Placez ensuite la viande sur un plat et réservez.

3. Ajoutez l'oignon, la carotte, le céleri et l'ail dans la cocotte. Faites sauter les légumes pendant 6 minutes, jusqu'à ce qu'ils soient bien dorés. Puis versez le vin, portez à ébullition et laissez réduire de moitié. Ajoutez le bouillon de poulet, le laurier et la cannelle (en option).

▸▸

4. Replacez alors les jarrets dans la cocotte (attention, le jus ne doit pas les recouvrir) et portez de nouveau à ébullition. Réduisez la chaleur de façon à obtenir un léger frémissement et couvrez. Laissez mijoter 2 heures en retournant la viande toutes les H heures jusqu'à ce qu'elle soit bien tendre mais ne se détache pas de l'os. Vous pouvez préparer les jarrets 2 jours à l'avance jusqu'à cette étape de la recette. Laissez refroidir, couvrez et placez ensuite au réfrigérateur.

5. Pour servir l'osso-buco, vous avez 2 possibilités : soit dans le bouillon, soit dans une sauce que vous aurez légèrement épaissie. Quelle que soit la recette choisie, vous devez retirer les jarrets de la cocotte (en veillant à ce que la viande ne se détache pas de l'os) et les disposer sur un plat. Versez le bouillon dans un grand saladier directement depuis la cocotte ou bien à l'aide d'une louche. Attendez quelques minutes, puis écumez la pellicule de graisse formée à la surface du bouillon.

### OSSO-BUCO AU BOUILLON :

Versez le bouillon dégraissé dans la cocotte et amenez à ébullition à feu vif. Laissez sur le feu en remuant de temps en temps, jusqu'à ce que le bouillon ait réduit de moitié (cela doit représenter 50 ou 60 centilitres). Replacez les jarrets dans la cocotte et portez la cuisson à feu doux jusqu'à ce qu'ils soient réchauffés à cœur. Attention à ne les retourner qu'une seule fois. Servez chaque tranche dans une assiette creuse préalablement chauffée et versez une ou plusieurs louches de bouillon par-dessus.

QUE VOUS SERVIEZ VOTRE OSSO-BUCO AU BOUILLON OU EN SAUCE, VOUS POUVEZ L'ACCOMPAGNER DE POLENTA (VOIR RECETTE P. 123), DE PÂTES FRAÎCHES AU BEURRE OU DE PURÉE DE POMMES DE TERRE, MAISON BIEN SÛR.

### OSSO-BUCO EN SAUCE :

Passez le bouillon dégraissé au moulin à légumes muni d'une grille fine ou au mixeur, et versez le tout dans la cocotte. Laissez-le d'abord refroidir afin qu'il soit à température ambiante, puis mixez par à-coups, jusqu'à ce que les légumes soient finement hachés sans être réduits en purée. Faites bouillir à feu vif. Baissez ensuite le feu et laissez mijoter jusqu'à ce que le bouillon ait réduit de moitié. Replacez les jarrets dans la cocotte et portez à feu doux jusqu'à ce qu'ils soient réchauffés à cœur. Retournez-les une seule fois. Les tranches de jarret peuvent être servies indifféremment dans des assiettes creuses ou plates.

Dans la maison des Van De Kamp – Salle à manger – Le soir

BREE :

Comment trouvez-vous l'Osso-buco ?

ANDREW (avec indifférence) :

Pas mal.

BREE :

Pas mal ? Andrew, j'ai passé trois heures à cuisiner ce plat. Tu te rends compte de ce que ça me fait d'entendre « C'est pas mal » sur ce ton désinvolte ?

ANDREW :

Qui t'a demandé de passer trois heures à cuisiner ?

BREE :

Je te demande pardon ?

ANDREW :

La mère de Tim Harper, elle rentre du boulot, elle ouvre une boîte de porc aux haricots et boum ! Ils mangent. Personne ne se plaint.

BREE :

Tu veux que je serve du porc en boîte ?

BREE dévisage son fils avec HORREUR. Silence.

DANIELLE :

Présente tes excuses. Je t'en supplie.

ANDREW :

T'es pas obligée de servir de la grande cuisine. Tu peux juste servir de la bouffe.

BREE :

Tu prends de la drogue ?

# Chou farci

Le chou de Savoie (appelé également chou de Milan), avec ses feuilles cloquées qui vont du vert épinard au vert bouteille, est plus tendre que le chou vert. Il est également plus facile à farcir et a beaucoup plus d'allure.

RECETTE POUR 4 CONVIVES
TEMPS DE PRÉPARATION : 35 MIN
TEMPS DE CUISSON : 2 H 15 MIN

**1 beau chou de Savoie moyen d'environ 1 kg**

POUR LA SAUCE

**1 boîte de pulpe de tomates (env. 300 g) ou de concassée de tomates maison (voir ma méthode p. 48)**
**230 ml de bouillon de bœuf en cube (une fois n'est pas coutume !)**
**1 cuill. à soupe de sucre roux ou de cassonade**
**1 cuill. à soupe de vinaigre de vin blanc**
**Poivre noir du moulin**

POUR LA FARCE

**500 g de bifteck haché**
**180 g de riz basmati cru**
**1 petit oignon émincé**
**1 carotte de taille moyenne, épluchée**
**1 cuill. à café de sel fin**
**½ cuill. à café de thym**
**¼ de cuill. à café de poivre noir du moulin**

1. Faites bouillir de l'eau dans un grand faitout. Pendant ce temps, séparez 12 feuilles extérieures du corps du chou en les coupant à la base et en les détachant délicatement. Ôtez la nervure centrale de chaque feuille. Lorsque les feuilles sont prêtes, blanchissez-les en les plongeant par groupe de 2 ou 3 à la fois et en les recouvrant bien d'eau avant d'en ajouter d'autres. Laissez cuire 2 minutes après la reprise de l'ébullition. Égouttez avec précaution et laissez tiédir dans l'égouttoir.

2. Préparez la sauce : prélevez environ 60 grammes de pulpe de tomates et réservez. À l'aide d'une spatule, versez le reste de la pulpe dans une petite casserole. Ajoutez le bouillon, le sucre roux et le vinaigre. Amenez à ébullition, réduisez le feu jusqu'à un léger frémissement et laissez mijoter 10 minutes en remuant de temps en temps. Ajoutez du poivre à votre convenance.

3. Pendant que la sauce mijote, confectionnez la farce pour en garnir les feuilles. Émiettez le bifteck haché dans un saladier. Ajoutez le riz, l'oignon, la carotte, le sel, le thym, le poivre et les 60 grammes de pulpe de tomates que vous avez mis de côté. Remuez avec une spatule ou, mieux encore, malaxez tous les ingrédients à la main jusqu'à ce qu'ils soient bien mélangés.

4. Préchauffez votre four à 180 °C (th. 6). Posez une feuille de chou bien à plat sur votre plan de travail. Repliez les bords débarrassés de la nervure afin d'obtenir une feuille bien lisse. Remplissez avec 60 grammes de farce (moins pour les feuilles plus petites et davantage pour les plus grandes) sur la partie la plus large. Repliez le bas de la feuille sur la farce puis rabattez les côtés par-dessus. Formez un cylindre bien serré. Répétez la même opération pour chaque feuille. Il se peut que vous manquiez de farce pour les dernières, cela n'a aucune importance.

5. Versez à la cuillère 120 millilitres de sauce chaude dans le fond d'un plat à four rectangulaire d'environ 20 x 28 centimètres de diamètre. Disposez les rouleaux de chou les uns à côté des autres, côté fendu vers le bas. Versez le reste de la sauce sur les rouleaux. Appliquez ensuite une feuille d'aluminium sur le dessus, de façon à ce qu'elle adhère bien au plat, et enfournez 1 heure 30.

6. Retirez l'aluminium et poursuivez la cuisson encore 30 minutes, jusqu'à ce que les feuilles deviennent tout à fait tendres et que le riz soit cuit à cœur. Laissez refroidir 10 minutes avant de servir.

# Filets de vivaneau à la livournaise

Voici une sauce toute simple mais très goûteuse, qui relèvera avantageusement le goût de ce poisson. Vous pouvez la préparer à l'avance et la conserver au réfrigérateur. Il faudra la sortir une demi-heure avant de l'utiliser pour qu'elle soit à température ambiante.

RECETTE POUR 4 CONVIVES
TEMPS DE PRÉPARATION : 15 MIN
TEMPS DE CUISSON : 16 MIN

**2 cuill. à soupe d'huile d'olive vierge extra (+ un peu pour le plat)**
**4 filets de vivaneau ou de mérou de 200 g chacun, avec leur peau**
**Sel et poivre noir du moulin**
**1 petit oignon jaune finement haché**
**2 gousses d'ail hachées**
**2 tomates mûres de taille moyenne (env. 200 g), pelées, épépinées et coupées en cubes (voir ma méthode p. 48)**
**60 ml de vin blanc sec (type Sauvignon)**
**8 olives noires charnues, dénoyautées et coupées en gros morceaux**
**1 cuill. à soupe de câpres « Non pareilles » égouttées**
**2 cuill. à soupe de persil plat haché**

1. Placez la grille à mi-hauteur dans votre four et préchauffez celui-ci à 210 °C (th. 7). Prenez un plat de taille adaptée pour les 4 filets : il doit rester très peu d'espace autour des filets. Huilez votre plat, puis salez et poivrez généreusement les filets.

2. Dans une sauteuse de taille moyenne, faites chauffer à feu modéré les 2 cuillerées d'huile d'olive. Ajoutez l'ail et l'oignon et faites-les revenir 3 minutes en remuant souvent, jusqu'à ce qu'ils deviennent tendres. Ajoutez les tomates, le vin, les olives, les câpres ainsi que 120 millilitres d'eau et portez à ébullition. Réduisez ensuite le feu pour que la sauce mijote. Laissez frémir 3 minutes. Ajoutez enfin le persil et rectifiez au besoin l'assaisonnement.

3. Versez la sauce sur les filets. Enfournez et laissez cuire pendant environ 12 minutes. La partie la plus épaisse des filets doit être presque opaque, c'est-à-dire tout juste cuite. Servez ces filets à même le plat de cuisson.

## Ma méthode pour peler, épépiner et couper parfaitement les tomates

Plus connue des gourmets sous le nom de concassée de tomates, l'opération qui consiste à peler et couper les tomates en dés permet de rehausser leur saveur en éliminant les désagréments causés par les pépins et la peau. Vous pouvez utiliser aussi bien des tomates rondes que des olivettes.

Faites bouillir de l'eau dans une grande casserole. Placez un saladier rempli d'eau glacée à côté de la cuisinière. Retirez délicatement le pédoncule de chaque tomate puis, avec un couteau, pratiquez une petite incision en croix de l'autre côté du fruit. Plongez les tomates (seulement quelques-unes à la fois) dans l'eau bouillante jusqu'à ce que la peau autour de l'incision commence à se décoller. Cela prendra vingt secondes pour une tomate ronde bien mûre et jusqu'à une minute pour une olivette encore ferme. Récupérez-les ensuite à l'aide d'une écumoire et trempez-les dans l'eau glacée.

Lorsqu'elles ont refroidi, pelez-les et divisez-les en deux, dans le sens de la longueur pour les olivettes et dans celui de la largeur pour les tomates rondes. Pressez-les ensuite pour faire sortir les pépins et le jus, en terminant à la cuillère si nécessaire. Coupez enfin la chair en dés réguliers.

# Risotto de homard et sa sauce aux herbes

Cette recette très raffinée est étonnante en toutes circonstances. Elle peut être servie en plat principal et convient également en accompagnement d'un autre plat ou en entrée lors d'un dîner sophistiqué.

RECETTE POUR 4 CONVIVES EN PLAT PRINCIPAL
OU POUR 8 EN ENTRÉE OU EN ACCOMPAGNEMENT
TEMPS DE PRÉPARATION : 40 MIN
TEMPS DE CUISSON : 45 MIN

**Sel**
**1 homard bien vivant de 750 g**
**6 cuill. à soupe d'huile d'olive vierge extra, première pression à froid (9 cl)**
**12 brins de ciboulette**
**3 gros brins de thym effeuillés**
**1 petit oignon jaune coupé très fin (env. 120 g)**
**1 petit poireau, lavé (voir p. 5) et finement haché (env. 100 g)**
**300 g de riz italien *Arborio* (voir note p. 51)**
**12 cl de Prosecco (vin blanc sec et pétillant d'Italie) ou de tout autre vin blanc pétillant**
**1 l de *Bouillon de poulet maison* (voir ma recette p. 37)**
**1 tomate moyenne, pelée, épépinée et coupée en petits morceaux (voir page ci-contre), facultatif**
**2 cuill. à soupe de persil plat haché**
**2 cuill. à soupe de beurre de baratte doux (30 g), coupé en morceaux (facultatif)**

**1.** Mettez de l'eau salée à bouillir dans un grand faitout. Plongez le homard dans l'eau (la tête la première), couvrez à moitié et laissez cuire 8 minutes à partir de la reprise de l'ébullition. Puis retirez le homard de l'eau et laissez-le suffisamment refroidir avant de le manipuler. Repliez alors sa queue afin de la séparer du reste du corps. Découpez la carapace avec des ciseaux de cuisine et retirez la chair de la queue en un seul bloc. À l'aide d'un casse-noix bien solide, cassez les pinces ainsi que les articulations qui leur sont reliées ; récupérez la chair qui y est contenue. Coupez toutes les parties extraites en petits morceaux de 1 centimètre.

AFIN DE DÉCUPLER LE GOÛT DE VOTRE PLAT – ET SI BIEN ENTENDU VOUS VOUS EN SENTEZ CAPABLE, CAR IL FAUT PRÉPARER LE HOMARD ET LA SAUCE LA VEILLE –, VOICI UNE PETITE ASTUCE : MÉLANGEZ DANS UNE CASSEROLE LES MORCEAUX DE CARAPACE DU HOMARD AVEC LA QUANTITÉ DE BOUILLON PRÉVUE DANS LA RECETTE. PORTEZ À ÉBULLITION PUIS RÉDUISEZ LE FEU JUSQU'À UN LÉGER FRÉMISSEMENT, COUVREZ LE TOUT. LAISSEZ MIJOTER 20 MINUTES ET FILTREZ. PLACEZ ENSUITE LE BOUILLON OBTENU AU RÉFRIGÉRATEUR ET UTILISEZ-LE À LA PLACE DU BOUILLON DE POULET ORDINAIRE DEMANDÉ DANS LA RECETTE.

2. Préparez la sauce aux herbes. Pour cela, mélangez 4 cuillerées à soupe d'huile d'olive avec la ciboulette et les feuilles de thym dans un robot. Mixez jusqu'à ce que l'huile prenne une couleur vert vif. Filtrez ensuite la sauce dans un petit bol et réservez. (La sauce aux herbes et le homard peuvent être préparés la veille. Couvrez-les alors d'un film alimentaire et placez-les au réfrigérateur.)

3. Environ 35 minutes avant de servir, faites chauffer à feu moyen les 2 cuillères à soupe d'huile restantes dans une casserole d'une contenance d'au moins 4 litres. Ajoutez l'oignon et le poireau et laissez cuire 8 minutes en remuant, jusqu'à ce que les légumes deviennent tendres et soient légèrement dorés. Incorporez le riz et laissez cuire pendant encore 2 minutes en remuant toujours. Versez ensuite le vin et, tout en remuant et en raclant le fond de la casserole avec votre spatule en bois, laissez mijoter jusqu'à évaporation de l'alcool.

4. Versez ensuite une partie du bouillon chaud en quantité suffisante pour recouvrir le riz. Réglez le feu afin que le mélange frémisse. Laissez mijoter en mélangeant souvent, jusqu'à ce que le bouillon soit bien absorbé par le riz. Rajoutez assez de bouillon pour recouvrir le tout de nouveau, puis remuez pendant 15 minutes jusqu'à absorption presque totale. Le riz doit être à la fois tendre et ferme, et la sauce crémeuse. Au final, vous aurez utilisé plus ou moins 1 litre de bouillon en fonction de votre riz, de votre technique, de la forme de votre casserole et de votre goût. Il ne vous reste plus qu'à intégrer dans l'ordre suivant : le homard, la tomate, le persil et enfin le beurre. Ce dernier ingrédient n'est pas obligatoire. Avec une louche, disposez le risotto dans des assiettes creuses préalablement chauffées et versez un filet de sauce aux herbes sur le dessus en touche finale. Servez sans attendre.

**Note :** L'Arborio est un riz au grain moyen qui diffère de façon notable du riz long grain. Vous pouvez vous approvisionner dans les supermarchés au rayon gourmets ou dans les magasins spécialisés en gastronomie italienne. Vous pouvez également en acheter sur Internet (voir les Sources p. 266).

# Purée de patates douces

RECETTE POUR 8 CONVIVES
TEMPS DE PRÉPARATION : 20 MIN
TEMPS DE CUISSON : 40 MIN

**Sel**
**3 grosses patates douces à chair orange (environ 1,3 kg)**
**80 à 100 g de mini-marshmallows ou de marshmallows coupés en dés**
**60 g de noix de pécan grillées hachées (voir l'encadré p. 251)**
**2 cuill. à soupe de beurre de baratte doux (30 g)**
**60 ml de sirop d'érable**
**2 cuill. à soupe de jus d'orange**

1. Pelez les patates douces, coupez-les grossièrement en morceaux d'environ 5 centimètres et placez-les dans une grande casserole d'eau salée. Portez à ébullition à feu vif, puis réduisez et laissez mijoter à feu moyen pendant 20 minutes. Les pommes de terre doivent être cuites, mais leur chair doit rester ferme. Égouttez et passez rapidement sous l'eau froide. Séchez-les bien, puis placez-les dans un plat à four.

2. Dans une petite casserole, faites bouillir le beurre, le sirop d'érable et le jus d'orange. Trempez votre fourchette dans ce mélange sirupeux (pour l'empêcher de coller) et écrasez les patates douces sommairement. Parsemez uniformément la surface des patates de marshmallows et de noix de pécan. Versez la préparation à base de sirop d'érable sur le plat. Recouvrez d'une feuille d'aluminium. Placez au four (ou conservez au maximum 1 journée au réfrigérateur).

3. Pour la cuisson : préchauffez le four à 180 °C (th. 6). Enfournez le plat pendant 20 minutes (comptez 30 minutes si le plat était au réfrigérateur). Retirez la feuille d'aluminium et replacez au four jusqu'à ce que les patates soient dorées et que le jus bouillonne. Servez chaud.

**RECETTE POUR DES PORTIONS INDIVIDUELLES :**

Répartissez la même préparation dans des plats individuels ou des ramequins. Préparez le glaçage de sirop et répartissez-le équitablement dans les ramequins. Placez ces derniers côte à côte dans un grand plat et enfournez comme indiqué plus haut.

# Petites pommes de terre au beurre d'herbes

Cette recette est surtout recommandée avec des pommes de terre primeur de petite taille. En France, vous avez un large choix, entre la roseval, la charlotte, la Bonnotte de Noirmoutiers, la ratte du Touquet ou encore la Vitelotte (pomme de terre violette à chair ferme). Quelle que soit la variété pour laquelle vous opterez, votre plat sera d'autant plus savoureux que la peau des pommes de terre sera fine.

RECETTE POUR 4 CONVIVES
TEMPS DE PRÉPARATION : 15 MIN
TEMPS DE CUISSON : 15 À 20 MIN

**500 g de petites pommes de terre (pas plus de 2 cm de largeur)**
**Sel et poivre noir du moulin**
**2 cuill. à soupe de beurre de baratte doux en petits morceaux (30 g)**
**4 cuill. à soupe d'aneth haché ou 2 cuill. à soupe de ciboulette hachée**

1. Lavez soigneusement les pommes de terre. Placez-les dans une sauteuse suffisamment grande pour les contenir en une seule couche. Versez moins de 1 centimètre d'eau par-dessus. Salez, poivrez et répartissez les morceaux de beurre sur les pommes de terre. Portez ensuite à feu moyen pour obtenir un léger frémissement. Couvrez soigneusement et laissez mijoter – pendant 15 à 20 minutes selon la variété choisie – jusqu'à ce que les pommes de terre soient tendres, c'est-à-dire lorsque la pointe de votre couteau pénètre facilement dans la chair. Vérifiez à 2 reprises – c'est essentiel – qu'il reste bien un minimum d'eau dans votre sauteuse.

2. Retirez le couvercle, augmentez la puissance du feu afin de laisser l'eau du fond de la sauteuse s'évaporer ; les pommes de terre doivent grésiller. Parsemez de l'herbe de votre choix sur les pommes de terre puis secouez énergiquement la sauteuse afin que les pommes de terre s'imprègnent tout à fait du beurre d'herbe. Rectifiez l'assaisonnement au besoin. Servez chaud.

# Carottes nouvelles au gingembre

RECETTE POUR 4 CONVIVES
TEMPS DE PRÉPARATION : 10 MIN
TEMPS DE CUISSON : 22 MIN

**60 ml de *Bouillon de poulet maison* (voir ma recette p. 37)**
**1 cuill. à soupe de sauce soja**
**2 cuill. à café de sucre**
**¼ de cuill. à café de cumin moulu (Albert Ménès)**
**¼ de cuill. à café de gingembre moulu (Albert Ménès)**
**500 g de petites carottes nouvelles**
**30 g de beurre de baratte doux, coupé en morceaux**

1. Dans une grande poêle de 28 centimètres de diamètre (ou bien une casserole), mélangez le bouillon, la sauce soja, le sucre, le cumin et le gingembre jusqu'à ce que le sucre soit dissous. Ajoutez les carottes et remuez pour qu'elles soient bien imprégnées de la sauce. Parsemez de beurre, puis, à feu moyen, amenez à ébullition. Réduisez ensuite à un léger frémissement, couvrez soigneusement et laissez mijoter pendant 20 minutes, jusqu'à ce que les carottes soient tendres mais encore fermes. Attention, elles ne doivent surtout pas être réduites en bouillie.

2. Retirez le couvercle, augmentez le feu et amenez à ébullition pendant 2 minutes, jusqu'à ce que la sauce des carottes soit légèrement glacée. Vous pouvez servir chaud ou bien à température ambiante.

# Tomates rôties à la provençale

Si l'on vous parle de tomates, votre premier réflexe est probablement de penser à la Méditerranée et à l'huile d'olive. Laissez-vous aller en testant cette recette de tomates fondantes au four, particulièrement goûteuses. Pour un nombre de convives supérieur, il vous suffira d'augmenter les proportions.

RECETTE POUR 2 CONVIVES
TEMPS DE PRÉPARATION : 10 MIN
TEMPS DE CUISSON : 25 MIN

**2 tomates olivettes de belle taille et bien mûres (env. 500 g)**
**Sel et poivre noir du moulin**
**1 cuill. à soupe de beurre de baratte doux (15 g)**
**2 cuill. à soupe de chapelure (voir note p. 213)**
**½ cuill. à café de thym ou d'origan**

1. Placez la grille à mi-hauteur dans votre four et préchauffez celui-ci à 190 °C (th. 6/7).
2. Retirez le pédoncule des tomates et coupez celles-ci en 2 moitiés dans le sens de la longueur. Pressez délicatement pour en extraire les pépins et le jus. Avec la pointe d'un couteau, détachez les pépins restés accrochés à la chair. Disposez les tomates, face coupée vers le haut, dans un petit plat à four. Assaisonnez de sel et de poivre.
3. Faites fondre le beurre dans une petite casserole. Tout en remuant, ajoutez la chapelure et l'herbe choisie, puis saupoudrez uniformément les tomates de cette préparation. Faites cuire 25 minutes au four, jusqu'à ce que la croûte devienne dorée et que les tomates soient bien tendres. Cet accompagnement peut être servi à la sortie du four ; cependant, je vous conseille de le servir à température ambiante.

# Petits-déjeuners et pains spéciaux

## Pancakes à la farine de sarrasin

RECETTE POUR 6 PANCAKES BIEN ÉPAIS DE 15 CM DE DIAMÈTRE
TEMPS DE PRÉPARATION : 5 MIN
TEMPS DE CUISSON : 7 MIN

**POUR 350 G DE FARINE DE SARRASIN**

**200 g de farine de blé (Francine, type 45)**
**120 g de farine de sarrasin**
**50 g de sucre (blanc)**
**2,5 cuill. à café de levure**
**½ cuill. à café de sel**

**POUR 6 GROS PANCAKES**

**50 cl de lait**
**4 cuill. à soupe de beurre de baratte doux fondu ou d'huile végétale + un peu pour la cuisson des pancakes (60 g)**
**1 gros œuf fermier**
**1 portion de 350 g de votre mélange de farine (voir ci-dessus)**
**Beurre en pommade**
**Sirop d'érable chaud**

1. Mélangez les farines, le sucre, la levure et le sel dans un saladier. Si vous ne préparez qu'une seule dose de pâte, allez directement à l'étape suivante. Si vous réalisez plusieurs portions, transférez ce mélange dans un récipient fermé et conservez-le dans un endroit sec, à l'abri de la lumière.

2. Battez le lait, le beurre et l'œuf dans un autre récipient. Amalgamez les deux préparations en mélangeant rapidement. Ne travaillez pas trop la pâte, ce n'est pas grave s'il reste quelques grumeaux. Laissez reposer 10 minutes.

▶▶

3. Faites chauffer à feu moyen une petite poêle à crêpes que vous aurez beurrée (ou, idéalement, une poêle à pancakes). À l'aide d'une louche, prélevez 1/6 de la pâte pour chaque pancake et versez-le dans la poêle – il doit faire 14 à 15 centimètres de diamètre. Laissez cuire 4 minutes, jusqu'à ce que le pancake soit bien doré et dentelé au bord. Faites-le sauter et laissez cuire encore 3 minutes, jusqu'à ce que l'autre face soit dorée par endroits. Répétez l'opération 6 fois. Servez sans attendre, beurrez et tartinez de sirop d'érable. Chaud, c'est absolument divin.

# Muffins à la myrtille

RECETTE POUR 12 MUFFINS
TEMPS DE PRÉPARATION : 12 MIN
TEMPS DE CUISSON : 22 MIN

**Spray d'huile végétale de cuisson**
**170 g de beurre de baratte doux, coupé en 8 morceaux**
**35 cl de lait**
**3 gros œufs**
**Le zeste râpé d'1 orange**
**370 g de farine tous usages, raffinée de préférence**
**130 g de sucre + un peu pour saupoudrer le dessus des muffins**
**1 cuill. à soupe de levure chimique**
**1 cuill. à café de sel**
**¾ de cuill. de noix de muscade fraîchement râpée**
**350 g de myrtilles fraîches ou 250 g de myrtilles surgelées**

1. Préchauffez votre four à 210 °C (th. 7). Vaporisez un moule à muffins de 12 empreintes (voir p. 60) avec le spray d'huile végétale de cuisson.

2. Dans une casserole, à feu très doux, mélangez le lait et le beurre. Quand ce dernier est à moitié fondu, versez le tout dans un saladier et remuez jusqu'à ce que le beurre ait complètement fondu. Incorporez les œufs et le zeste d'orange en fouettant vigoureusement jusqu'à ce que l'ensemble soit complètement amalgamé, puis réservez.

3. Dans un saladier, mélangez la farine, le sucre, la levure, le sel et la noix de muscade. Ajoutez les baies et remuez jusqu'à ce que la farine les recouvre. Versez la préparation lactée sur ces ingrédients secs et mélangez doucement jusqu'à disparition des traces blanches. Il est normal que la pâte paraisse grumeleuse.

4. Répartissez la pâte dans les empreintes du moule à muffins. Elle est suffisante pour remplir chaque empreinte presque à ras bord. Saupoudrez uniformément le dessus de chaque muffin avec du sucre. Faites cuire environ 22 minutes, jusqu'à ce que les muffins soient bien dorés et que la pointe d'un couteau piqué au centre de l'un d'eux ressorte propre.

5. Laissez refroidir les muffins sur une grille pendant 10 minutes, puis retirez-les du moule et attendez qu'ils soient complètement refroidis avant de servir.

**Note :** Quand elles sont fraîches ou décongelées, les myrtilles ont tendance à maculer la pâte de traînées d'un affreux vert bleuté. Celles qui sont congelées restent intactes et juteuses. Préférez donc les petites myrtilles congelées, voire – c'est encore mieux – achetez de petites myrtilles fraîches en saison et congelez-les vous-même : disposez les baies sur une plaque, que vous aurez recouverte d'une serviette en papier, et posez-la bien à plat dans le congélateur. Laissez-les congeler jusqu'à ce qu'elles soient dures, pendant environ 1 heure, puis mettez-les dans des sacs de congélation étanches.

## À propos de ces muffins

- Les énormes muffins, gras et très sucrés, ne sont pas du tout à mon goût. Ces 3 recettes vous permettront de réaliser des muffins moelleux et délicats. Pour ce faire, l'idéal est d'utiliser un moule de 12 empreintes, avec des compartiments de 7 x 3 centimètres. Si votre moule a de plus grandes ou de plus petites empreintes, adaptez le temps de cuisson.

- Humidifiez les ingrédients secs en tournant le moins possible. Quand vous incorporez les ingrédients liquides aux ingrédients secs, servez-vous d'une grande spatule en caoutchouc pour racler le fond du saladier et pour mélanger de sorte que la pâte recouvre bien les ingrédients. Attention, si vous mélangez trop, vous obtiendrez des muffins caoutchouteux et secs.

- Les muffins sont meilleurs si vous les consommez dans les heures qui suivent leur cuisson. Cependant, ceux de la veille sont délicieux coupés en 2 et réchauffés, soit de manière diététique, en les plaçant sous le gril du four ou dans un grille-pain, soit – même si c'est un grand péché – en enduisant chaque moitié de beurre puis en les passant à la poêle.

# Muffins de maïs et babeurre

Ces muffins peuvent être dégustés aussi bien au petit-déjeuner qu'au dîner. Pour le petit-déjeuner, dégustez-les avec du sirop d'érable et du beurre. Pour le dîner, ils seront parfaits en accompagnement de chilis ou de ragoûts, ou encore de travers de porc à la sauce barbecue, surtout dans leur version pimentée ou au fromage (voir les variantes p. 62).

RECETTE POUR 12 MUFFINS
TEMPS DE PRÉPARATION : 12 MIN
TEMPS DE CUISSON : 16 MIN

**Spray d'huile végétale de cuisson**
**30 cl de babeurre (c'est-à-dire 25 cl de lait frais, battu avec 10 ml de vinaigre blanc : cet émulsifiant naturel ajoute une texture moelleuse aux muffins)**
**85 g de beurre de baratte doux, fondu**
**2 gros œufs fermiers**
**175 g de farine de maïs jaune (magasins spécialisés)**
**125 g de farine tous usages**
**50 g de sucre**
**2 cuill. à café de levure chimique**
**1 cuill. à café de sel**
**100 g de bicarbonate de soude**

1. Placez la grille à mi-hauteur dans votre four et préchauffez celui-ci à 210 °C (th. 7). Vaporisez un moule à muffins de 12 empreintes (voir page ci-contre) avec le spray d'huile végétale de cuisson.

2. Dans une petite casserole, à feu très doux, mélangez le babeurre et le beurre. Quand ce dernier est à moitié fondu, versez le mélange dans un petit saladier et remuez jusqu'à ce que le beurre ait complètement fondu. Incorporez les œufs en fouettant vigoureusement jusqu'à ce que l'ensemble soit totalement amalgamé, puis réservez.

3. Dans un grand saladier, mélangez les farines, le sucre, la levure chimique, le sel et le bicarbonate de soude. Versez la préparation au babeurre sur les ingrédients secs et remuez doucement, de bas en haut, jusqu'à disparition des traces blanches. Il est normal que la pâte paraisse grumeleuse.

▶▶

4. Répartissez la pâte dans les empreintes du moule à muffins. Elle est suffisante pour remplir chaque empreinte aux ¾. Faites cuire environ 16 minutes, jusqu'à ce que le dessus des muffins soit légèrement doré et que la pointe d'un couteau piqué au centre de l'un d'eux ressorte propre.

5. Laissez refroidir les muffins sur une grille pendant 10 minutes, sans les démouler. Puis retirez-les du moule et attendez qu'ils soient complètement refroidis avant de servir.

### VARIANTES

Ajoutez aux ingrédients secs 60 grammes de cheddar fort en goût, râpé fin, et/ou 1 petit piment, coupé en 2 dans le sens de la longueur, épépiné et émincé en fines lamelles.

# Muffins à l'ananas et au son

Les muffins au son peuvent donner une fausse image de ce qu'est un petit-déjeuner sain. Mais, ici, l'ananas confère aux muffins une saveur étonnante. Ils sont délicieux coupés en deux, toastés et tartinés de marmelade d'orange.

RECETTE POUR 12 MUFFINS
TEMPS DE PRÉPARATION : 15 MIN
TEMPS DE CUISSON : 20 MIN

**Spray d'huile végétale de cuisson**
**1 boîte de 600 g d'ananas en morceaux, avec leur jus**
**250 g de céréales de son**
**150 g de farine tous usages**
**100 g de cassonade**
**30 g de farine complète**
**2 cuill. à café de levure chimique**
**½ cuill. à café de bicarbonate de soude**
**½ cuill. à café de sel**
**¼ de cuill. à café de cannelle en poudre (Albert Ménès)**
**30 g de mélange quatre-épices (facultatif)**
**25 cl de lait**
**10 cl d'huile végétale**
**6 cl de mélasse raffinée (en magasins bio)**
**2 œufs**

1. Placez la grille à mi-hauteur dans votre four et préchauffez celui-ci à 210 °C (th. 7). Vaporisez un moule à muffins de 12 empreintes (voir p. 60) avec le spray d'huile végétale de cuisson.

2. Pressez l'ananas avec une cuillère pour en extraire autant de jus que possible. Réservez l'ananas et conservez son jus pour un autre usage, par exemple le *Smoothie pêche-ananas* (voir recette p. 171).

3. Dans un saladier, mélangez le son, les farines, la cassonade, la levure chimique, le bicarbonate de soude, le sel, la cannelle et le mélange quatre-épices (ce dernier ingrédient est facultatif). Mélangez ces ingrédients secs à la main pour bien émietter la cassonade et homogénéiser l'ensemble.

▶▶

4. Dans un autre saladier, fouettez le lait, l'huile végétale, la mélasse, les œufs et l'ananas égoutté. Versez ensuite sur les ingrédients secs et remuez doucement en soulevant de bas en haut, jusqu'à ce que les ingrédients secs soient complètement enrobés. Il est normal que la pâte paraisse grumeleuse.

5. Répartissez la pâte dans les empreintes du moule à muffins. Faites cuire 20 minutes jusqu'à ce que les muffins soient légèrement dorés et que la pointe d'un couteau piqué au centre de l'un d'eux ressorte propre. Laissez-les refroidir dans leur moule pendant 10 minutes. Retirez-les du moule et laissez refroidir complètement avant de servir.

Vous êtes cordialement invités
chez Bree Van De Kamp

au 19, Wisteria Lane,
le dimanche 24 septembre

Un cocktail sera servi à 18 heures,
suivi d'un dîner à 19 heures

Tenue de soirée exigée : robe de cocktail pour les femmes,
costume et cravate pour les hommes

Réponse souhaitée avant le 17 septembre

# Pudding de Noël flambé au cognac

Cette recette est plus légère qu'un pudding traditionnel. Ayant macéré dans le rhum, le pudding en sera suffisamment imbibé et quelques gouttes suffiront pour le flamber. Soyez donc prudente avec la quantité d'alcool que vous utiliserez.

POUR UN PUDDING DE 12 PARTS
TEMPS DE PRÉPARATION : 25 MIN
TEMPS DE CUISSON : 3 H

**150 g de raisins secs**
**20 abricots secs, coupés en dés de 1 cm (env. 150 g)**
**120 g de dattes dénoyautées, coupées en dés de 1 cm**
**6 cl de rhum ou de cognac + pour imbiber le pudding à la fin**
**125 g de beurre doux en morceaux + une noisette pour le moule**
**125 g de farine tous usages (Francine, type 45)**
**½ cuill. à café de levure**
**1 cuill. à café de gingembre moulu**
**½ cuill. à café de cannelle moulue**
**¼ cuill. à café de mélange quatre-épices (cannelle, muscade, poivre noir, girofle)**
**100 g de sucre brun**
**Le zeste râpé d'1 citron entier (non traité)**
**3 gros œufs fermiers**
**200 g de quatre-quarts émietté (votre gâteau doit être à moitié rassis)**
**25 cl de lait**

1. Dans un bol de taille moyenne, mélangez les fruits secs avec le rhum ou le cognac, en séparant bien les fruits qui seraient collés entre eux. Laissez reposer 30 minutes ; remuez à 2 ou 3 reprises durant ce laps de temps.

2. Beurrez généreusement un moule à soufflé de 18 centimètres de diamètre. Pour cuire le pudding à la vapeur, choisissez une grande marmite dans laquelle vous pourrez le placer et le retirer aisément. Versez-y 2 à 3 centimètres d'eau et utilisez un accessoire qui surélèvera votre pudding de 2 à 3 centimètres du fond pendant la cuisson.

▶▶

3. Mélangez la farine, la levure et les épices dans un saladier et réservez. Dans un autre saladier, fouettez le beurre, le sucre et le zeste de citron jusqu'à ce que le mélange soit lisse. Incorporez les œufs un à un, en fouettant minutieusement à chaque fois. Ajoutez les fruits macérés dans le rhum ainsi que le rhum restant dans le bol. Incorporez les miettes de quatre-quarts, puis le mélange farine-levure-épices. Versez le lait et remuez jusqu'à ce que tous les ingrédients soient à peu près bien amalgamés. À l'aide d'une spatule, versez la préparation dans le moule à soufflé beurré, puis recouvrez celui-ci d'une feuille d'aluminium.

4. Faites ensuite bouillir l'eau de la marmite, puis réduisez le feu pour que le liquide frémisse. Placez votre pudding sur un trépied, mettez le couvercle sur la cocotte et laissez cuire au bain-marie pendant 3 heures. Votre pudding doit être cuit à cœur et légèrement gonflé au centre. Vérifiez le niveau d'eau plusieurs fois, et rajoutez-en au besoin.

5. Sortez le pudding du bain-marie et laissez-le refroidir à température ambiante avant de le démouler sur un plat. Votre pudding peut être servi tout de suite ou bien conservé jusqu'à 3 semaines au réfrigérateur. Si vous le placez au frais, remettez-le dans son moule jusqu'à ce que vous le dégustiez. Tous les 2 jours, versez 2 cuillerées à soupe de rhum ou de cognac sur le dessus : le pudding, en absorbant l'alcool, restera moelleux. Sortez votre pudding au moins 2 heures avant de le flamber. Arrosez de 2 à 3 cuillerées à soupe de rhum ou de cognac et flambez en utilisant une longue allumette. Servez dès que la flamme a disparu.

Le chocolat blanc n'est pas un véritable chocolat. En effet, cette sucrerie très appréciée des gourmands n'en contient pas une once. On l'obtient en utilisant du beurre de cacao, ce qui lui donne son arôme chocolaté.
Le beurre de cacao est intimement mélangé avec du lait et du sucre, de sorte que cela donne un mélange très crémeux. Vous pouvez déguster le chocolat blanc tel quel ou vous en servir dans des préparations culinaires.

Vous pouvez utiliser le chocolat blanc pour certaines recettes, mais, par pitié, ne prétendez jamais avoir employé du vrai chocolat !

# Croustillant à la myrtille

Pour la pâte, je recommande des pignons de pin, mais vous pouvez les remplacer par n'importe quel autre fruit oléagineux tendre et gras, comme la noix ou la noix de pécan.

RECETTE POUR 8 CONVIVES
TEMPS DE PRÉPARATION : 12 MIN
TEMPS DE CUISSON : 50 MIN

POUR LA PÂTE

**70 g de pignons de pin**
**80 g de farine tous usages (type 45)**
**50 g de cassonade**
**70 g de sucre semoule**
**85 g de beurre de baratte doux, ramolli, coupé en 6 morceaux**

POUR LA GARNITURE AUX BAIES

**100 g de sucre semoule**
**1 cuill. à soupe de Maïzena**
**Le zeste finement râpé d'1 orange**
**¾ de cuill. à café de gingembre en poudre ou de cannelle en poudre**
**1,5 kg de myrtilles, rincées et bien égouttées**
**40 g de beurre de baratte doux, coupé en petits morceaux**

1. Préchauffez votre four à 180 °C (th. 6).

2. Étalez les pignons de pin sur la plaque du four et faites-les cuire jusqu'à ce qu'ils soient légèrement dorés, pendant environ 8 minutes. Remuez les pignons 1 ou 2 fois sur la plaque pour qu'ils soient uniformément dorés. Laissez-les refroidir.

3. Pendant que les pignons de pin refroidissent, préparez la garniture aux baies : dans un grand saladier, mélangez les 100 grammes de sucre semoule, la Maïzena, le zeste d'orange et le gingembre. Ajoutez les myrtilles avec délicatesse. Laissez reposer, en remuant doucement de temps en temps, jusqu'à ce que les myrtilles commencent à rendre du jus. Versez les baies dans un plat ovale de 30 centimètres allant au four. Parsemez le dessus de beurre.

4. Pour la pâte : dans un saladier, mélangez bien la farine, la cassonade et les 70 grammes de sucre semoule. Ajoutez les 85 grammes de beurre ramolli ainsi que les pignons de pin refroidis. Mélangez bien les ingrédients du bout des doigts jusqu'à ce que le beurre soit totalement absorbé par la farine et le sucre. (Ce n'est pas très grave si certains pignons de pin sont brisés et que d'autres restent entiers.) Saupoudrez uniformément cette pâte émiettée sur les baies et faites cuire environ 40 minutes, jusqu'à ce que la pâte soit légèrement dorée et que les baies bouillonnent et épaississent légèrement. Sortez du four et laissez refroidir pendant au moins 45 minutes avant de servir.

# Susan

## Cette éternelle chic fille

qu'est Susan Mayer a toujours raffolé des cuisines. Elle y passerait des heures. Elle aime tout ce qui s'y rapporte. Le problème, c'est que les cuisines ne le lui rendent pas. On peut même dire que plus elle y passe de temps, moins elles l'aiment.

Depuis que Susan est toute petite, cette pièce de la maison lui donne du fil à retordre. Elle s'est toujours imaginé qu'elle deviendrait une épouse et une mère épanouie, comme les héroïnes à la télé. Mais les années ont passé et, quand elle a été en âge de fréquenter l'université, Susan est devenue plus réaliste dans ses attentes.

Au début de sa relation avec Karl, elle a insisté pour qu'il vienne dîner chez elle, histoire de tester ses talents culinaires. Heureusement pour elle, Karl était déjà sérieusement mordu.

Plus tard, quand ils se sont installés ensemble, Susan s'est mis en tête de devenir la reine du café. Après tout, elle se disait qu'il lui faudrait bien avoir quelque chose à offrir aux gens qui passeraient chez eux. Alors elle acheta des tasses et des soucoupes originales, et remplit ses placards de tout un tas de petits gâteaux sophistiqués pour accompagner son café. Pour dire la vérité, elle réussit son coup. Susan faisait vraiment du bon café. Le problème, c'est que son café suivait généralement un repas un peu « tristounet », comme disait gentiment Karl pour décrire les plats tout juste bons à la consommation humaine qu'elle lui servait. Et le pire dans tout ça, c'est que Susan se débrouillait même pour massacrer les petits gâteaux du café.

Comme vous le savez, le mariage de Susan a malheureusement mal tourné, mais elle en a gardé le plus beau cadeau que lui ait fait la vie : sa fille Julie. Une fille intelligente, mûre et maîtresse d'elle-même. Comme si Julie était l'incarnation de tout ce que Susan avait toujours voulu être. Julie apprenait même à faire la cuisine. Dans ce domaine, pas de doute, Susan faisait du bon boulot.

Les années passant, Susan continue de croire qu'elle finira par réussir une recette comme un chef. Elle espère ardemment qu'un de ces jours un plat viendra qui sera réussi à tous les coups. Mais elle se doute bien que ce n'est pas demain la veille…

Susan compense ce manque cruel de talent culinaire par une bonne volonté à toute épreuve, persuadée que c'est l'intention qui compte. Mais l'enfer est pavé de bonnes intentions et ceux qui passent par sa cuisine s'y retrouvent plus souvent qu'à leur tour, en enfer.

Les recettes de cette partie sont inratables, même par Susan (enfin, en principe). Il s'agit *grosso modo* de mettre tous les ingrédients dans une sauteuse (ou un autre plat) et de laisser la gazinière faire le reste. Il suffit de suivre les instructions. Et puis, tout à fait entre nous, même si l'on rêve toutes d'être aussi douées que Bree en cuisine, la réalité nous rattrape et l'on ressemble quand même plus souvent à Susan, non ? La bonne nouvelle, c'est que l'on n'aura pas à se prendre la tête pour préparer les plats qui suivent.

*Le mariage* de Susan et Karl peut se résumer tout entier à un plat bien particulier : le gratin de macaronis.
Il était trop salé le soir où ils ont emménagé dans leur maison…
Trop liquide, le soir où elle trouva du rouge à lèvres sur sa chemise…
Cramé, le soir où il lui annonça qu'il la quittait pour sa secrétaire.

SM

# Margaritas

RECETTE POUR 8 VERRES DE 125 ML
(LES PROPORTIONS SONT FACILES À ADAPTER AU NOMBRE D'INVITÉS)
TEMPS DE PRÉPARATION : 10 MIN

**500 ml de tequila mexicaine de bonne qualité**
**250 ml de Cointreau, de curaçao ou d'une autre liqueur d'orange**
**125 ml de jus de citron vert fraîchement pressé**
**Fleur de sel**
**Glace grossièrement pilée**
**Quartiers de citron vert (facultatif)**

1. Versez la tequila, le Cointreau et le jus de citron dans un pichet. Vous pouvez préparer votre mélange à l'avance et le garder au frais jusqu'à 24 heures, si ça vous arrange.

2. Quand vous êtes prête à servir les cocktails, pliez une feuille de papier absorbant en 4 dans une soucoupe et imbibez-la d'eau. Versez une bonne couche de sel dans une autre coupelle. Passez le bord de vos verres d'abord sur le papier absorbant pour les humecter, puis dans la coupelle pour obtenir une couronne de sel. N'ayez pas la main trop lourde et pensez ensuite à retourner les verres.

3. Remplissez un grand shaker de glace pilée jusqu'à la moitié et ajoutez 125 millilitres de margarita par personne. N'oubliez pas de refermer le shaker, puis agitez vigoureusement. Versez dans les verres. Vous pouvez ajouter un quartier de citron vert si ça vous tente.

**Note :** Le choix de la tequila est affaire de goût. Certains se contentent d'une tequila ordinaire qu'on trouve partout ; d'autres préfèrent des tequilas vieillies en fût de chêne plus ou moins longtemps (*reposado* ou *añejo*), qui ont davantage de caractère et un goût plus puissant.

## Même pas en rêve...

Susan s'inscrivit un jour à un cours d'interprétation des rêves, où elle apprit que rêver que l'on cuisine annonçait une visite agréable, comme celle de proches ou d'amis.

Cette nuit-là, Susan rêva que ses amies venaient dîner. Seulement voilà, Susan est aussi nulle en cuisine dans ses rêves que dans la réalité. Elle se réveilla en sursaut, couverte de sueur, et se jura... que jamais plus elle ne suivrait des cours d'interprétation des rêves.

◄◄ *Les margaritas de Susan, un rêve devenu réalité !*

# Fondue suisse traditionnelle

Un quelconque fromage « suisse » industriel ne fera pas l'affaire pour cette recette. Allez faire un tour chez votre fromager pour vous procurer des produits authentiques.

RECETTE POUR 4 PERSONNES
TEMPS DE PRÉPARATION : 15 MIN
TEMPS DE CUISSON : 15 MIN

**1 gousse d'ail fendue en 2**
**250 ml de Neuchâtel, d'Apremont, de riesling ou de tout autre vin blanc sec et fruité**
**150 g de gruyère grossièrement râpé**
**150 g d'emmenthal grossièrement râpé**
**2 cuill. à café de Maïzena**
**1 cuill. à soupe (15 ml) de kirsch ou d'un autre alcool de fruit**
**Poivre noir du moulin**
**1 baguette bien croustillante coupée en gros dés**

1. Frottez l'intérieur d'un poêlon à fondue ou d'une terrine épaisse avec la gousse d'ail, puis jetez-la (la gousse, pas la terrine). Versez 250 millilitres de vin et faites chauffer à feu assez doux jusqu'à ce que l'alcool commence à s'évaporer, mais sans laisser bouillir. Ajoutez le fromage par petites quantités, une poignée à la fois, et attendez qu'il ait bien fondu pour incorporer la suivante. (À ce stade, votre fondue n'est peut-être pas aussi homogène que vous l'auriez voulu, mais c'est normal.) Réglez la température pour que la fondue frémisse sans jamais bouillir. Une fois que vous avez fait fondre tout le fromage, mélangez la Maïzena et le kirsch dans un petit bol, et versez-les dans la fondue. Remuez bien. L'ensemble doit devenir lisse et crémeux. Si ce n'est pas le cas, vous êtes bonne pour le fouet. Battez alors votre fondue jusqu'à obtenir la consistance désirée. Assaisonnez de poivre à votre goût.

2. Apportez le poêlon à fondue sur la table et placez-le au-dessus d'une source de chaleur douce. Disposez le pain dans un panier. Vous piquerez les morceaux de pain à l'aide d'une fourchette à fondue pour les tremper dans le fromage. Gardez une bouteille de vin sous la main pour en rajouter quand la fondue devient trop épaisse.

# Crevettes entières épicées

Il m'est déjà arrivé d'avaler accidentellement la carapace avec les crevettes une fois ou deux (bon d'accord, ça s'est souvent produit). N'empêche que c'est un de mes plats d'été préférés. Comme c'est une recette qui réclame peu de préparation, les risques d'échec sont heureusement limités.

RECETTE POUR 8 PERSONNES EN ENTRÉE
OU 4 EN PLAT PRINCIPAL
TEMPS DE PRÉPARATION : 3 MIN
TEMPS DE CUISSON : 14 MIN

**1 petit oignon jaune coupé en quartiers**
**1 citron coupé en quartiers**
**10 gousses d'ail**
**75 g de sel**
**1 cuill. à café de graines de céleri (ou de cumin)**
**1 cuill. à café de graines de moutarde (facultatif)**
**2 cuill. à café de poivre noir en grains**
**1 cuill. à café de clous de girofle entiers**
**½ cuill. à café de piment de Cayenne moulu**
**1 kg de grosses crevettes (40 à 50 pièces)**

1. Mettez tous les ingrédients – sauf les crevettes – dans une cocotte de 1 litre à moitié remplie d'eau. Portez à ébullition et laissez cuire 10 minutes à couvert.
2. Jetez les crevettes dans le liquide et retirez du feu. Attendez 4 minutes, le temps qu'elles s'imprègnent bien des épices. Égouttez et disposez vos crevettes épicées dans un plat de service. Ce plat se mange chaud ou à température ambiante.

# Poivrons grillés et mozzarella aux jeunes pousses de roquette

RECETTE POUR 2 PERSONNES EN PLAT PRINCIPAL
OU 4 EN ENTRÉE OU EN ACCOMPAGNEMENT
TEMPS DE PRÉPARATION : 12 MIN

**2 gros poivrons rouges (env. 500 g)**
**250 g de mozzarella fraîche, de préférence salée**
**Fleur de sel et poivre noir en grains grossièrement concassés**
**1 bouquet de jeunes pousses de roquette (env. 200 g) : coupez les tiges dures, lavez et séchez les feuilles**
**3 cuill. à soupe (45 ml) d'huile d'olive vierge extra**
**Vinaigre balsamique (facultatif)**

1. Faites griller les poivrons et pelez-les (voir p. 83). Emincez-les ensuite en lanières d'environ 3 centimètres de large. Coupez la mozzarella en rondelles de 1 centimètre d'épaisseur. Dans une assiette suffisamment grande, disposez les morceaux de poivrons et de mozzarella en les faisant alterner. Assaisonnez de sel et de poivre concassé, puis laissez reposer 30 minutes à température ambiante.

2. Au moment de servir, mettez la roquette dans un saladier avec l'huile d'olive et mélangez. Salez légèrement et mélangez à nouveau. Si vous ne pouvez vraiment pas vous en passer, ajoutez un trait de vinaigre balsamique et tournez une dernière fois la salade. Dressez la roquette sur les poivrons-mozzarella, en raclant bien l'huile au fond du saladier. Attendez 3 ou 4 minutes que l'assaisonnement ait le temps de se répandre. Servez ensuite un peu de chaque ingrédient dans les assiettes. Facile, non ?

## Poivrons grillés

Les poivrons rouges, jaunes ou verts, qui sont de la famille des piments doux, ainsi que les piments forts, comme les *jalapeños* ou les *poblanos*, gagnent en saveur lorsqu'ils sont grillés. Cela intensifie leur saveur et leur donne du moelleux. La méthode pour les griller et les peler est *grosso modo* la même pour tous.

Sur la gazinière : (non recommandé pour les petits piments comme les jalapeños ou les *serranos*). Réglez le ou les brûleurs au maximum et posez les poivrons directement sur la grille, au-dessus des flammes. En vous aidant de longues pinces, retournez-les plusieurs fois pour que la peau noircisse bien partout. Présentez-les à la flamme sur toutes leurs faces pour griller aussi les replis.

Sous le gril : placez votre grille à environ 15 centimètres de la résistance (un peu plus près pour les petits piments) et préchauffez le gril au maximum. Disposez les poivrons sur une plaque de cuisson sous le gril. Retournez les poivrons autant de fois qu'il le faut avec de longues pinces pour qu'ils soient bien carbonisés sur toutes leurs faces (pour une fois que c'est fait exprès !).

Une fois grillés, mettez les poivrons dans un saladier recouvert de film alimentaire et laissez-les refroidir complètement. Retirez ensuite toute la peau noircie que vous pourrez avec vos doigts, puis ouvrez les poivrons en 2 à l'aide d'un couteau ou déchirez-les en suivant leurs plis naturels. Attention, chaud devant ! Le jus contenu à l'intérieur est souvent encore brûlant, même si les poivrons sont froids à l'extérieur. Retirez le trognon, les graines, les filaments et ce qui reste de peau noircie avec un couteau. Vos poivrons sont maintenant prêts à l'emploi.

# Ailerons de poulet à la sauce pimentée

Pour cette recette, j'utilise des piments chipotle mexicains : ce sont des *jalapeños* fumés et séchés. On les trouve dans les magasins spécialisés, vendus en vrac (il faut alors les réhydrater avant de les utiliser) ou bien marinés dans une sauce tomate épicée (appelée *abodo*) et conditionnés dans de petites boîtes de conserve.

RECETTE POUR 16 PIÈCES
TEMPS DE PRÉPARATION : 10 MIN
TEMPS DE CUISSON : 20 MIN

**1 kg d'ailerons de poulet assez gros (soit 8 ailes entières)**
**1 cuill. à café de sel**
**¼ de cuill. à café de poivre noir du moulin**
**60 ml de sauce *abodo de chipotles* ou de sauce aux chipotles (voir les Sources p. 266)**
**2 cuill. à soupe de jus d'oranges fraîchement pressées ou en bouteille**
**1 cuill. à soupe de vinaigre de vin rouge ou blanc**
**1 cuill. à soupe de sucre en poudre**

1. Préchauffez votre four à 230 °C (th. 7). Huilez légèrement un plat à grillades ou une plaque de cuisson recouverte d'aluminium. Tranchez l'attache des ailerons, puis cassez l'aile en 2 morceaux, au niveau de son articulation.

2. Salez et poivrez bien les ailerons, puis disposez-les dans votre plat de cuisson en espaçant les morceaux de 2 ou 3 centimètres. Enfournez et laissez cuire environ 30 minutes, jusqu'à ce que les ailerons soient dorés à l'extérieur et bien cuits à l'intérieur.

3. Pendant ce temps, mélangez la sauce aux piments, le jus d'orange, le vinaigre et le sucre dans une petite casserole. Laissez réduire de moitié à feu doux, jusqu'à obtenir une consistance sirupeuse. Versez dans un saladier, en raclant bien le fond de la casserole.

4. Enrobez les ailerons de la préparation et remettez-les au four. En principe, il doit vous rester de la sauce dans le saladier. Réservez-la. Faites cuire les ailerons encore 5 minutes, jusqu'à ce que le glaçage commence à brunir. Puis passez-les à nouveau dans le reste de sauce, et empilez-les dans un plat de service. Laissez refroidir 5 minutes avant de servir et prévoyez un bon stock de serviettes en papier.

# Hoummous

Tout le monde connaît et adore le hoummous. C'est très facile à faire et excellent comme accompagnement exotique ou à l'apéritif. Personnellement, c'est dans un sandwich de pain noir, avec des rondelles de concombre, que je le préfère.

RECETTE POUR 300 ML DE HOUMMOUS
TEMPS DE PRÉPARATION : 15 MIN

**1 grande boîte de pois chiches (800 g), rincés et égouttés**
**1 cuill. à café de jus de citron pressé**
**1 cuill. à café d'huile de sésame grillé**
**2 petites gousses d'ail hachées**
**4 cuill. à soupe d'huile d'olive**
**50 g de persil haché**
**3 oignons nouveaux finement hachés (sans la partie verte)**
**Sel et poivre noir du moulin**

1. Mettez les pois chiches, le jus de citron, l'huile de sésame et l'ail dans le bol d'un robot et mixez l'ensemble. Incorporez alors l'huile d'olive, en la versant lentement sans cesser de mixer, jusqu'à obtenir la consistance d'une purée grossière.
2. Transvasez le hoummous dans un bol, incorporez le persil et l'oignon haché, puis assaisonnez de sel et de poivre selon votre goût. Bien couvert, votre hoummous se conservera jusqu'à 3 jours au réfrigérateur. Mais n'oubliez pas de le sortir du frigo 30 minutes avant de le servir.

## Chips de pita

Si le temps n'est pas trop humide, vous pouvez vous permettre de préparer cet accompagnement 1 ou 2 jours à l'avance. Les chips se conservent à température ambiante dans un récipient hermétique.

Préchauffez votre four à 180 °C (th. 6). Ouvrez les pitas en 2, puis découpez chaque galette en 8. Enduisez légèrement d'huile d'olive ou d'arachide votre plaque de cuisson (ou 2, selon le nombre de chips que vous comptez faire). Enfournez ensuite les chips de pita et laissez cuire 10 minutes environ, en les retournant 2 fois, le temps qu'elles blondissent légèrement et deviennent croustillantes. Servez-les chaudes ou froides.

# Soupe de courge musquée

Un soupçon de crème aigre apportera une pointe d'acidité à la douceur onctueuse de la courge musquée.

RECETTE POUR ENVIRON 1,5 L DE SOUPE
POUR 6 PERSONNES EN ENTRÉE
TEMPS DE PRÉPARATION : 20 MIN
TEMPS DE CUISSON : 1 H 15 MIN

**Huile végétale**
**1 petite courge musquée ou ordinaire (env. 800 g)**
**60 g de beurre doux**
**1 gros poireau, nettoyé (voir p. 5) et coupé en rondelles de 1,5 cm**
**1 carotte moyenne, nettoyée, épluchée et grossièrement râpée**
**8 feuilles de sauge**
**½ cuill. à café de gingembre moulu**
**½ cuill. à café de noix de muscade râpée**
**750 ml de *Bouillon de poulet maison* (voir recette p. 37) ou de bouillon de volaille en cube**
**1 cuill. à café de sel (moins si vous utilisez un bouillon cube)**
**125 ml de crème aigre (= 125 ml de crème fraîche + 1 cuill. à soupe de jus de citron)**
**50 g de ciboulette finement hachée**
**1 cuill. à soupe de bourbon (facultatif)**

1. Préchauffez votre four à 180 °C (th. 6). Huilez légèrement une plaque de cuisson recouverte de papier aluminium.

2. Coupez la courge en 2 dans le sens de la largeur, puis en 2 dans le sens de la hauteur. Ôtez les graines et les filaments. Placez les quarts de courge face tranchée sur la plaque de cuisson et enfournez pour environ 1 heure. Vérifiez la cuisson en enfonçant un couteau dans la chair des courges, qui doit être tendre, et le dessous d'une belle coloration brune. Retirez alors du four et laissez refroidir.

3. Ôtez la peau, puis écrasez grossièrement la chair et réservez. Faites fondre le beurre dans un faitout de 1 litre à fond épais. Faites-y revenir le poireau, la carotte et les feuilles de sauge pendant environ 4 minutes, jusqu'à ce que les poireaux deviennent transparents. Ajoutez le gingembre et la noix de muscade en mélangeant, puis versez 750 millilitres de bouillon. Incorporez la purée de

courge en remuant bien et portez le tout à ébullition. Salez, couvrez et laissez mijoter 10 minutes à feu doux. Retirez ensuite du feu et laissez refroidir un peu.

4. Mettez la crème aigre, la ciboulette et le bourbon dans un grand saladier. Versez ensuite de petites quantités de soupe dans le bol de votre robot et mixez pour obtenir une consistance veloutée. N'hésitez pas à ajouter du bouillon. Transvasez chaque portion de soupe mixée au fur et à mesure dans le saladier. Quand toute la soupe est mixée, fouettez le contenu du saladier jusqu'à ce que toute trace de crème ait disparu. Vous pouvez préparer cette soupe à l'avance et la conserver jusqu'à 2 jours au réfrigérateur, bien couverte.

5. Au moment de servir, réchauffez votre soupe à feu moyen jusqu'à ce qu'elle frémisse et servez-la bien chaude.

# *Lady Godiva*

Lady Godiva souhaitait si désespérément soulager les habitants de Coventry du fardeau des impôts que son mari, le comte Léofric de Mercie, imposait à ses habitants, qu'elle releva le défi de traverser la ville, nue et à cheval, pour le convaincre de renoncer à ses taxes. Le récit de ce haut fait passé à la postérité rapporte qu'elle parcourut le marché seulement drapée dans sa longue chevelure et escortée de deux chevaliers.

On sait très peu de choses sur cette noble Saxonne, épouse de l'un des hommes les plus puissants de l'Angleterre du Moyen Âge. La rumeur et la légende se mêlent pour conter son histoire. Il est ainsi très difficile de dresser un portrait précis de Lady Godiva, hormis le fait qu'elle était riche et influente, à une époque où cette condition était très inhabituelle pour les représentantes du sexe faible.

Des incertitudes demeurent également au sujet du lignage de la Dame (était-elle noble de naissance ou le devint-elle par alliance ?), de son mariage (son époux est décrit tantôt comme un tyran, tantôt comme un homme juste et bon), et jusqu'à sa ville natale. Les versions de son histoire ont fluctué au cours des époques. Ainsi, au XIVe siècle, ce qui était connu pour représenter un acte politique de protestation de la part d'une femme se transforma en une allégorie religieuse faisant état d'un miracle qui aurait permis à une pieuse et chaste dame de traverser sa ville à cheval dans le plus simple appareil sans que l'ombre d'un regard se posât sur elle (les habitants ayant été priés de rester chez eux pour plus de sûreté). La seule constante commune à toutes les variantes de ce récit est que notre héroïne était animée de nobles intentions qui eurent un impact formidable en son temps.

L'ironie des choses est qu'il est fort probable que l'unique événement que l'on ait retenu de la vie de cette femme n'ait en réalité jamais eu lieu. Quoi qu'il en soit, sa légende a traversé les siècles et fait encore parler d'elle après un millénaire. L'acte désespéré de Lady Godiva restera à jamais gravé dans les mémoires et dans les livres d'Histoire. Sans doute parce que le récit de l'émancipation d'une femme (quelques neuf cents ans avant que le droit de vote ne soit accordé à ses sœurs) exalte les imaginations. Ou bien, plus prosaïquement, parce que l'idée d'une femme nue à cheval sur la place publique est assez croustillante pour continuer à fasciner les esprits.

# Gratin de macaronis « inratable » (en principe)

RECETTE POUR 6 PERSONNES EN PLAT PRINCIPAL
OU 10 EN ACCOMPAGNEMENT
TEMPS DE PRÉPARATION : 15 MIN
TEMPS DE CUISSON : 55 MIN

**Sel**
**1 l de *Sauce Béchamel* (voir recette p. 114)**
**500 g de macaronis ou de grosses coquillettes**
**250 g de cheddar fort grossièrement râpé**
**250 g de gruyère ou d'emmenthal grossièrement râpé**
**Poivre noir du moulin (facultatif)**
**75 g de chapelure du commerce ou de pain dur émietté (voir note p. 213)**
**30 g de parmesan râpé**
**30 g de beurre doux fondu**

1. Mettez une grande quantité d'eau salée à bouillir dans un faitout et préparez votre béchamel pendant ce temps-là.
2. Pendant que votre sauce mijote, jetez les macaronis dans l'eau bouillante et laissez-les cuire environ 5 minutes en remuant de temps en temps. Ils doivent être al dente, c'est-à-dire que l'on doit clairement voir une couche de blanc au milieu lorsqu'on coupe une pâte en 2. Égouttez immédiatement et rincez vos pâtes sous l'eau froide pour arrêter la cuisson. Secouez bien la passoire pour éliminer le plus d'eau possible. Versez ensuite dans un grand saladier.
3. Préchauffez votre four à 180/200 °C (th. 6/7).
4. Dès que la béchamel est prête, arrêtez la cuisson et, hors du feu, ajoutez les fromages râpés. Goûtez puis ajoutez du sel et du poivre si vous voulez. Répandez cette sauce sur les macaronis et mélangez jusqu'à ce qu'ils soient bien recouverts. Transférez alors vos macaronis – en raclant bien le fond du saladier – dans un plat à four ovale ou de n'importe quelle forme, pourvu qu'il soit suffisamment grand pour les contenir.

▶▶

**5.** Mélangez intimement la chapelure (ou le pain dur émietté), le parmesan et le beurre fondu dans un petit bol, jusqu'à ce que la chapelure soit bien imbibée. Étalez alors cette préparation aussi uniformément que vous le pourrez sur le dessus de votre gratin. Enfournez sans attendre (mais on n'est quand même pas aux pièces et vous pouvez laisser votre gratin jusqu'à 1 heure à température ambiante) et laissez cuire environ 40 minutes. Le dessus doit être bien doré et les bords doivent commencent à bouillonner. Laissez refroidir 5 minutes avant de servir.

MIKE DELFINO, 39 ans, se trouve à côté du buffet où sont disposés les plats apportés par les invités. C'est un homme séduisant et décontracté

SUSAN arrive au moment où Mike se sert de son gratin de macaronis.

SUSAN:

J'en mangerais pas, si j'étais vous.

MIKE:

Pourquoi ?

SUSAN:

C'est moi qui l'ai fait, je sais de quoi je parle.

Mike est séduit par la spontanéité de Susan. Il fait mine d'engloutir une grosse bouchée de macaronis au fromage, mais Susan l'arrête.

SUSAN:

Hé ! Hé ! Attendez ! Vous avez une dernière volonté ?

MIKE:

Non, je refuse de croire qu'une personne puisse rater des macaronis au fromage.

Il commence à MANGER les macaronis et fait immédiatement la grimace.

MIKE:

Mmm... Mais comment est-ce que... C'est trop cuit et pas assez cuit à la fois.

SUSAN:

Oui. Eh oui. On me l'a souvent dit. Tenez.

SUSAN lui tend une serviette en papier pour qu'il recrache discrètement ses macaronis et ils rient tous les deux.

# Chili végétarien

Les pots d'épices étiquetés « chili » contiennent généralement un mélange de poudre de piment séché, de cumin, d'origan, de sel et d'une multitude d'additifs aux noms imprononçables. Si vous avez une marque favorite, ne vous gênez surtout pas pour l'utiliser à la place du sel, du cumin, de la poudre de piment et de l'origan. Mais sachez qu'en créant votre propre mélange, vous pourrez doser les ingrédients à votre goût. (Pour les poudres de chili « pur », voir les Sources, p. 266).

RECETTE POUR 6 PERSONNES EN PLAT PRINCIPAL
TEMPS DE PRÉPARATION : 20 MIN
TEMPS DE CUISSON : 35 MIN

**3 cuill. à soupe d'huile végétale**
**2 oignons jaunes moyens, taillés en dés (env. 300 g)**
**1 oignon rouge moyen finement émincé (facultatif)**
**1 gros poivron rouge épépiné et taillé en dés (env. 225 g)**
**2 carottes moyennes, épluchées et taillées en dés (env. 150 g)**
**6 gousses d'ail hachées**
**500 g de gros champignons : ôtez les pieds, coupez les chapeaux en 2, puis taillez chaque moitié en lamelles**
**1 cuill. à café de sel**
**2 cuill. à café de chili en poudre (voir la note p. 94)**
**1 cuill. à café ½ de graines de coriandre moulues**
**1 cuill. à café de cumin en poudre**
**1 cuill. à café d'origan séché**
**1 grande boîte (800 g) de tomates pelées avec leur jus, que vous couperez en dés**
**1 grande boîte (800 g) de haricots rouges, rincés et égouttés**
**75 g de feuilles de coriandre hachées finement**
**250 ml de crème aigre (facultatif) (pour rappel = crème fraîche + jus de citron)**

**1.** Faites chauffer l'huile sur feu moyen dans une sauteuse à fond épais de 4 à 5 litres, jusqu'à ce qu'elle commence à grésiller, puis jetez-y les oignons, le poivron, les carottes et l'ail. Laissez revenir pendant environ 8 minutes en remuant de temps en temps. Les oignons doivent commencer à blondir.

▸▸

2. Incorporez les champignons en mélangeant bien, saupoudrez de sel et poursuivez la cuisson jusqu'à ce que le liquide rendu par les champignons se soit évaporé. Ajoutez la poudre de chili, la coriandre moulue, le cumin et l'origan, puis attendez que les arômes se dégagent. Versez alors les tomates avec leurs jus et portez le tout à ébullition. Réglez la température pour obtenir un simple frémissement et laissez cuire à couvert pendant environ 10 minutes. Les légumes doivent être bien tendres.

3. Ajoutez les haricots en dernier et poursuivez la cuisson le temps de les réchauffer à cœur. Saupoudrez ensuite du hachis de feuilles de coriandre et servez bien chaud dans des bols. Présentez à part la crème aigre et le hachis d'oignon rouge pour ceux qui en veulent.

**Note :** On trouve, chez nous aux États-Unis, toutes sortes de variétés de piments en poudre, non seulement dans les magasins mexicains, mais aussi dans les supermarchés. En voici une liste, du plus doux au plus épicé : *ancho*, *pasilla*, *de arbol* et *pequin*. La poudre de *chipotle*, obtenue à partir de piments *jalapeños* séchés et fumés, enflamme le palais tout en offrant une saveur délicatement fumée. J'imagine que vous pouvez en trouver en France, alors si c'est le cas, sautez dessus sans hésiter, car elle apporte un vrai plus à n'importe quel chili.

# Boulettes de viande de Sophie

Voici la seule et unique recette que m'ait transmise ma mère et qui vaille vraiment la peine de passer du temps devant ses fourneaux. Je me revois encore, petite, l'observer dans notre cuisine en train de façonner ces boulettes de viande d'une perfection toute sphérique. Curieusement, c'est aussi la seule recette que je réussis à tous les coups (Si, je vous le jure !). Julie m'a même demandé de lui apprendre à les confectionner.

RECETTE POUR 2 PERSONNES EN PLAT PRINCIPAL
TEMPS DE PRÉPARATION : 15 MIN
TEMPS DE CUISSON : 16 À 40 MIN (AVEC OU SANS SAUCE)

**Sel**
**1 cuill. à soupe d'huile d'olive**
**1 petit oignon, haché très finement**
**1 œuf**
**2 cuill. à soupe de persil haché**
**1 grosse pincée de noix de muscade, fraîchement râpée de préférence**
**500 g de viande hachée, moitié bœuf, moitié porc (250 g de chaque, donc)**
**25 g de parmesan râpé**
**40 g de chapelure du commerce ou de pain dur émietté (voir note p. 213)**
**Huile végétale en spray pour la cuisson**

1. Faites chauffer l'huile d'olive dans une petite poêle à feu moyen. Jetez-y les oignons et laissez revenir environ 8 minutes en remuant, jusqu'à ce qu'ils blondissent. Retirez du feu et versez dans un saladier. Laissez refroidir un peu.

2. Ajoutez l'œuf, le persil et la noix de muscade dans le saladier avec les oignons et battez à la fourchette pour les mélanger intimement. Incorporez le bifteck haché (et le porc si vous en mettez) en l'émiettant bien, puis parsemez de fromage râpé et de chapelure. Malaxez le tout à la main ou à l'aide d'une cuillère en bois, jusqu'à ce que le persil soit uniformément réparti dans votre préparation. Couvrez et réfrigérez pendant 15 minutes (le froid rendra votre mélange plus facile à manipuler pour former les boulettes).

▶▶

3. Placez une grille à environ 15 centimètres de la résistance et préchauffez le gril à la température maximale. Huilez une plaque de cuisson avec le spray. Formez à la main des boulettes d'environ 5 centimètres de diamètre et disposez-les sur la plaque au fur et à mesure.

4. Laissez les boulettes sous le gril pendant environ 6 minutes. Le dessus doit être bien doré. Le dessous aussi, théoriquement. Si ce n'est pas le cas, retournez vos boulettes et laissez-les 1 ou 2 minutes supplémentaires sous le gril pour qu'elles prennent la bonne coloration.

5. Mangez vos boulettes soit telles quelles – vérifiez quand même qu'elles sont bien cuites et n'hésitez pas à les passer au four à 175 °C (th. 5), jusqu'à ce qu'il n'y ait plus aucune trace de rose à l'intérieur –, soit avec ma *Sauce tomate légère* (voir recette p. ci-contre) ou toute autre sauce tomate dans laquelle vous les aurez fait mijoter 20 minutes.

VARIANTE

## Boulettes de poulet

Substituez tout simplement la même quantité de poulet haché (des cuisses de préférence) au bœuf et/ou au porc dans la recette. Comptez 2 cuillères à soupe supplémentaires de chapelure et incorporez 1 cuillère à soupe d'huile d'olive quand vous battrez l'œuf avec le persil.

# Pâtes à la sauce tomate légère (avec ou sans les boulettes de Sophie)

La clé de la réussite de cette sauce fraîche et légère tient au coulis de tomates, qui en est l'ingrédient de base. N'utilisez surtout pas de la purée de tomates en boîte ou des tomates concassées, elles sont bien trop épaisses, la recette sera ratée !

RECETTE POUR 1,5 L DE SAUCE TOMATE
(LA MOITIÉ POUR ACCOMPAGNER 500 G DE PÂTES
ET L'AUTRE MOITIÉ À CONGELER POUR PLUS TARD)
TEMPS DE PRÉPARATION : 10 MIN
TEMPS DE CUISSON : 28 MIN (+ 20 MIN AVEC BOULETTES)

**POUR LA SAUCE TOMATE LÉGÈRE**

**3 cuill. à soupe d'huile d'olive**
**2 oignons jaunes moyens coupés en dés (env. 300 g)**
**4 gousses d'ail hachées**
**1 cuill. à café d'origan séché**
**½ cuill. à café de sauce pimentée (type Tabasco)**
**2 briques de coulis de tomates de 75 cl**
**2 feuilles de laurier**
**1 cuill. à café ½ de fleur de sel + un peu pour les pâtes**

**POUR LES PÂTES**

**500 g de *rigatonis* ou les *penne***
**50 g de basilic frais ou de persil plat haché**
***Boulettes de viande de Sophie* (voir recette p. 95), facultatives**
**Parmesan râpé**
**Sel**

1. Mettez à bouillir une grande quantité d'eau salée dans un faitout.
2. Faites chauffer l'huile dans une grande casserole de 3 ou 4 litres à fond épais. Laissez revenir les oignons pendant 6 minutes jusqu'à ce qu'ils deviennent transparents. Ajoutez ensuite l'ail, l'origan et le piment et laissez cuire encore 2 minutes.
3. Incorporez enfin le coulis de tomates, les feuilles de laurier et le sel. Augmentez la chaleur et portez à ébullition tout en remuant. Réglez ensuite la température pour maintenir un léger frémissement. Laissez mijoter ainsi pendant 20 minutes, tout en continuant de remuer régulièrement.

▶▶

**POUR SERVIR LA SAUCE SANS BOULETTES :**

Une fois que la sauce a mijoté pendant 10 bonnes minutes, mettez les pâtes dans l'eau bouillante. Remuez doucement jusqu'à la reprise de l'ébullition et laissez cuire vos pâtes pendant environ 9 minutes (cela dépend de la variété de pâtes choisie), jusqu'à obtenir une consistance al dente. Égouttez-les puis remettez-les dans le faitout, hors du feu.
Ajoutez le basilic (ou le persil) dans la sauce en mélangeant. Sur feu doux, versez alors plusieurs louches de sauce dans le faitout contenant les pâtes pour bien les recouvrir. Retirez du feu et ajoutez une poignée de parmesan râpé. Servez avec une louche dans des bols chauds ou dans un plat de service et dégustez. Présentez le parmesan râpé et la sauce à part pour ceux qui en veulent.

**POUR SERVIR LA SAUCE AVEC DES BOULETTES :**

Préparez et grillez les boulettes pendant que votre sauce tomate mijote. Lorsqu'elle a cuit pendant 20 minutes, incorporez-y les boulettes et laissez cuire encore 20 minutes supplémentaires.

Environ 10 minutes avant la fin de la cuisson des boulettes, préparez les pâtes et recouvrez-les de sauce comme précédemment. Ajoutez le basilic (ou le persil) au dernier moment à la sauce, juste avant d'en recouvrir les pâtes. Servez les boulettes dans les assiettes avec les pâtes ou disposez-les au centre du plat de service.

Dans tous les cas, vous pouvez conserver le reste de la sauce jusqu'à 3 jours au frigo et jusqu'à 1 mois au congélateur.

**Note :** Si je ne trouve pas de coulis de tomates en brique, je le remplace par 2 boîtes de tomates olivettes entières au jus, que je passe légèrement au mixeur.

# Conchiglie rigate farcies au four

Considérez ces pâtes en forme de coquillages, farcies au fromage et aux épinards, comme des lasagnes en portion individuelle. Elles conviennent parfaitement à un buffet entre amis. Cela dit, même si vous n'êtes qu'en petit comité, je vous conseille de garder les proportions indiquées, car les *conchiglie rigate farcies* supportent très bien la congélation.

RECETTE POUR 8 PERSONNES
(EN 2 PLATS : PLUS FACILE POUR EN CONGELER LA MOITIÉ)
TEMPS DE PRÉPARATION : 30 MIN
TEMPS DE CUISSON : 1 H 15 MIN

**Sel**
***Sauce tomate légère*** **(voir recette p. 97)**
**500 g de conchiglie rigate (de 45 à 50 pièces)**
**300 g d'épinards hachés surgelés, que vous aurez fait décongeler**
**750 ml de ricotta au lait entier ou partiellement écrémée**
**250 g de mozzarella râpée**
**60 g de jambon coupé en petits dés (facultatif)**
**30 g de parmesan râpé + un peu pour gratiner**
**1 œuf**

1. Préparez la sauce tomate et laissez mijoter 20 minutes.
2. Pendant ce temps, faites bouillir une grande casserole d'eau salée. Jetez-y les pâtes et laissez cuire environ 9 minutes en tournant de temps en temps. Les pâtes doivent être tendres tout en restant un peu fermes sous la dent. Égouttez-les et rincez-les sous l'eau froide en faisant bien attention de ne pas les casser.
3. Égouttez vos épinards au maximum, puis battez-les dans un saladier avec la ricotta, la mozzarella, le jambon éventuellement, le parmesan et l'œuf, jusqu'à ce que l'ensemble soit bien mélangé.
4. Placez la grille à mi-hauteur dans votre four et préchauffez celui-ci à 180 °C (th. 6). Versez 2 louches de sauce tomate dans 2 petits plats à four ou cassolettes en terre. Farcissez chaque coquille avec 1 cuillère à soupe bombée de votre préparation et disposez-les dans vos 2 plats.

▶▶

5. Versez une deuxième couche de sauce tomate par-dessus les coquilles farcies et recouvrez vos plats de papier d'aluminium en le pressant bien sur les bords. (Vous pouvez préparer à l'avance vos conchiglie rigate farcies jusqu'à cette étape. Elles se gardent jusqu'à 3 jours au frigo et 6 semaines au congélateur.) Mettez-les à décongeler au frigo toute une nuit avant de les servir, puis passez-les au four telles quelles pendant 30 minutes (40 minutes si elles sortent directement du congélateur).

6. Retirez ensuite le papier d'alu, saupoudrez largement de parmesan râpé et remettez au four pendant environ 15 minutes, jusqu'à ce que le fromage forme une couche dorée et que la sauce tomate bouillonne sur les bords. Sortez du four et laissez refroidir 10 minutes avant de servir. Réchauffez la sauce tomate restante s'il y en a et servez-la à part.

# Gratin de pâtes « nouvelle version »

Vous avez certainement tous les ingrédients de cette recette en stock chez vous. Et comme les pâtes cuisent dans le four avec le reste, votre gratin peut être en route 10 minutes seulement après votre retour du boulot.

RECETTE POUR 6 PERSONNES
TEMPS DE PRÉPARATION : 10 MIN
TEMPS DE CUISSON : 35 À 45 MIN

**1 l de *Bouillon de poulet maison* (voir recette p. 37) ou de bouillon de volaille en cube**
**300 ml (env.) de crème de champignons en brique (Liebig, Knorr…)**
**500 g de blancs de poulet, sans la peau, coupés en morceaux de 2,5 cm**
**400 g de bouquets de brocolis surgelés (détachés de leur tige)**
**400 g de larges pâtes aux œufs : fettucinis ou tagliatelles**
**100 g de gruyère râpé**

**GARNITURE EN OPTION**

**50 g de chapelure du commerce ou de panko japonaise (voir note p. 213)**
**25 g de parmesan râpé**
**1 cuill. à soupe de beurre fondu**

1. Préchauffez votre four à 200 °C (th. 6/7).
2. Fouettez ensemble le bouillon de poulet et la crème de champignons dans une grande casserole, réchauffez à feu moyen et laissez mijoter. Pendant ce temps, disposez les morceaux de poulet et les bouquets de brocolis dans un plat à gratin. Ajoutez les pâtes crues (faites-moi confiance) et le gruyère râpé. Versez-y le bouillon à la crème de champignons chaud et répartissez de façon uniforme. Couvrez ensuite de papier d'alu en le repliant bien sur les bords pour fermer et enfournez pour 30 minutes.
3. Si vous avez choisi la garniture. Mettez le parmesan, le beurre fondu ainsi que la chapelure dans un bol, et mélangez jusqu'à ce qu'ils soient intimement mêlés.
4. Sortez votre plat du four, enlevez la feuille d'aluminium et étalez la garniture sur le dessus. Remettez au four et faites gratiner pendant 10 minutes environ. Les pâtes doivent avoir absorbé le liquide. Laissez refroidir 5 minutes à température ambiante avant de servir.

# Consommé de poulet aux boulettes légères

RECETTE POUR 4 PERSONNES
TEMPS DE PRÉPARATION : 25 MIN
TEMPS DE CUISSON : 1 H 10 MIN

POUR LE POULET

**1 poulet de 1,8 kg, coupé en 8 morceaux**

**4 carottes moyennes, épluchées et débitées en rondelles de 1,5 cm**

**2 branches de céleri, débarrassées de leurs feuilles et coupées de biais en rondelles de 1 cm**

**400 g d'oignons grelots ou 1 oignon jaune moyen, émincé en lanières de 1 cm**

**1 l de *Bouillon de poulet maison* (voir recette p. 37) ou de bouillon de volaille en cube**

**½ cuill. à café de thym en poudre**

**Sel et poivre noir du moulin**

POUR LES BOULETTES

**180 g de farine ordinaire**

**1 cuill. à soupe de persil finement haché (facultatif)**

**2 cuill. à café de levure chimique**

**1 cuill. à café de sel**

**3 cuill. à soupe (45 g) de beurre doux fondu**

**180 ml de lait**

**1.** Dégraisser les morceaux de poulet et coupez les blancs en 2 dans la largeur à l'aide d'un couteau bien aiguisé (attention les doigts…). Mettez les morceaux et tous les abats (sauf le foie) dans une cocotte pouvant les contenir en une seule couche (une cocotte de 28 centimètres de diamètre et de 13 centimètres de profondeur fera très bien l'affaire). Ajoutez les carottes, le céleri et les oignons pardessus, puis versez le bouillon. Si nécessaire, complétez avec de l'eau pour que les légumes et le poulet soient recouverts de 2 bons centimètres. Ajoutez le thym, salez et poivrez légèrement. Portez à ébullition sur feu vif. Laissez bouillir 2 minutes en écumant la mousse qui se forme et la graisse qui remonte à la surface. Réglez ensuite la température pour obtenir un simple frémissement et fermez bien la cocotte. Laissez cuire pendant 50 minutes environ, jusqu'à ce qu'il n'y ait plus aucune trace de rose sur la chair des cuisses.

2. Environ 10 minutes avant la fin de la cuisson, préparez les boulettes de pâte. Mélangez la farine, le persil éventuellement, la levure et 1 cuillère à café de sel dans un saladier. Versez le beurre fondu et travaillez-le aux doigts avec la farine. Il doit former de minuscules flocons, comme des cornflakes, répartis dans toute la farine. Versez alors le lait en tournant doucement pour bien humecter la farine. Mais n'en faites pas trop : s'il reste quelques grumeaux et 1 ou 2 traînées de farine, c'est parfait.

3. Enlevez de la cocotte le croupion, le cou et les abats, et jetez-les. Assurez-vous, par la même occasion, qu'il reste juste assez de liquide pour recouvrir le poulet et les légumes. (S'il y en a trop, enlevez-en à l'aide d'une louche et gardez-le pour autre chose ; s'il n'y en a pas assez, ajoutez du bouillon ou de l'eau et attendez la reprise de l'ébullition avant de continuer.) Réglez la température pour obtenir un frémissement assez vigoureux. Introduisez ensuite la pâte dans le liquide brûlant par petites quantités, à l'aide d'une cuillère à soupe. Chaque cuillerée formera une boulette. Attention à bien les espacer de 3 ou 4 centimètres. Refermez la cocotte et laissez cuire environ 12 minutes, jusqu'à ce que les boulettes soient légères et mousseuses.

4. Pour servir : repêchez les boulettes avec une écumoire et déposez-les dans des bols de service. Ajoutez 2 morceaux de poulet et des légumes par dessus, puis recouvrez d'autant de bouillon que vous voulez.

**Note :** Une fois que le poulet est cuit, vous pouvez garder le plat à température ambiante jusqu'à 1 heure avant d'ajouter les boulettes. En revanche, celles-ci doivent être plongées dans la cocotte dès que vous avez fini de préparer la pâte, et vous devez les servir dès qu'elles sont cuites.

# Burgers de dinde à l'asiatique

RECETTE POUR 4 BURGERS
TEMPS DE PRÉPARATION : 7 MIN
TEMPS DE CUISSON : 12 À 15 MIN

**750 g de blanc de dinde haché**
**2 cuill. à soupe de sauce soja**
**2 échalotes finement hachées (sans la racine du milieu)**
**Poivre noir du moulin**
**Huile pour la cuisson**

1. Écrasez la dinde hachée dans un saladier. Ajoutez un filet de sauce soja ainsi que les échalotes, et donnez plusieurs tours généreux de moulin à poivre. Mêlez intimement tous ces ingrédients. Divisez votre mélange en 4 parts égales et formez un burger d'environ 2,5 centimètres d'épaisseur. Mettez ensuite au frigo pendant au moins 1 heure, ou jusqu'au lendemain.

2. Pour la cuisson : chauffez à feu moyen un gril ou une grande poêle à fond épais. Huilez légèrement et déposez les burgers. Laissez-les cuire environ 6 minutes de chaque côté, jusqu'à ce qu'ils soient bien dorés et qu'il ne reste plus du tout de rose au milieu. (Vous pouvez vérifier avec un thermomètre de cuisson introduit au cœur des burgers : il doit indiquer une température de 75 °C). Vous pouvez aussi faire griller vos burgers au barbecue. Graissez alors le gril avec du papier absorbant imbibé d'huile avant de les mettre à cuire.

3. Pour servir : ajoutez, selon votre inspiration, du fromage fondu, une feuille de salade, des rondelles de tomate, d'oignon, de cornichon à la russe… Et essayez (sans faire déborder !) de placer le tout dans un petit pain rond au sésame.

# Poulet à la méridionale

Même moi, j'aurais du mal à louper cette recette (quoique... tout le monde sait de quoi je suis capable).

RECETTE POUR 4 PERSONNES (PORTIONS GÉNÉREUSES)
OU 6 AVEC LES SAUCISSES
TEMPS DE PRÉPARATION : 15 MIN
TEMPS DE CUISSON : 50 MIN

**4 pommes de terre nouvelles de taille moyenne, grattées et coupées en quartiers**

**1 cuill. à soupe d'huile d'olive**

**1 cuill. à café de sel + un peu pour assaisonner les légumes**

**¼ cuill. à café de poivre noir du moulin**

**3 saucisses coupées en morceaux de 3 cm (env. 350 g) : saucisses italiennes en chapelet, douces ou épicées (en magasins spécialisés), ou bien saucisses de Morteau ou de Toulouse (facultatif)**

**1 cuill. à café de thym séché**

**½ cuill. d'origan séché**

**½ cuill. à café de paprika**

**1 poulet de 1,8 kg coupé en 8 morceaux**

**3 petites courgettes (env. 400 g en tout), nettoyées et débitées en rondelles de 1,5 cm**

**3 tomates de taille moyenne, pelées et coupées en quartiers**

1. Placez la grille à mi-hauteur de votre four et préchauffez celui-ci à 220 °C (th. 7/8). Mettez les pommes de terre et l'huile d'olive dans un plat à rôtir assez grand (45 x 32 centimètres). Salez, poivrez et mélangez. Ajoutez les saucisses – si vous avez choisi d'en mettre – et rassemblez le tout vers le centre du plat.

2. Mélangez le thym, l'origan, le paprika, 1 cuillère à café de sel et ¼ de cuillère à café de poivre dans un grand saladier. Dégraissez les morceaux de poulet et essuyez-les bien avec du papier absorbant. Ajoutez-les dans le saladier et roulez-les à la main, afin de les enrober uniformément du mélange d'épices. Dressez ensuite les morceaux de poulet dans le plat autour des légumes et des saucisses, peau vers le haut. Enfournez et faites cuire 15 minutes.

▸▸

3. Ajoutez alors les courgettes et les tomates au centre du plat et mélangez-les avec les pommes de terre et les saucisses. Pas besoin de vous appliquer, mais faites en sorte quand même de remuer les légumes suffisamment souvent et un par un pour qu'ils soient dorés sur toutes leurs faces. Laissez cuire encore 15 minutes.

4. Retournez vos légumes et vos saucisses encore 1 fois ou 2 pour qu'ils soient vraiment grillés partout, tout en les maintenant au milieu du plat. Poursuivez la cuisson pendant encore 20 minutes, jusqu'à ce qu'il ne reste plus aucune trace de rose dans la partie la plus charnue des cuisses du poulet.

5. Dressez les morceaux de poulet dans un plat de service, et présentez les légumes ainsi que les saucisses en couronne tout autour. Si la viande vous semble trop grasse, vous pouvez passer par une étape « essuyage » en les mettant sur une plaque recouverte de papier absorbant, avant de les disposer dans le plat de service.

# Crêpes : LA recette traditionnelle de Bree

Bree a bien essayé à maintes reprises de m'apprendre à faire les crêpes dans les règles de l'art, mais je n'y suis jamais vraiment parvenue. Au point qu'elle préférerait mourir plutôt que d'avouer un lien quelconque avec mes crêpes. Voici donc sa recette de crêpes, que l'on peut ensuite garnir avec à peu près n'importe quoi, salé ou sucré, comme une *Garniture jambon-épinards* (voir p. 111) ou du simple sucre en poudre.

RECETTE POUR ENVIRON 20 PETITES CRÊPES
OU 10 GRANDES CRÊPES
TEMPS DE PRÉPARATION : 5 MIN
TEMPS DE CUISSON : 3 MIN PAR CRÊPE

**240 ml de lait à température ambiante**
**2 gros œufs**
**2 cuill. à soupe de beurre fondu (30 g) + une noisette pour la poêle**
**1 cuill. à café de sucre**
**¼ de cuill. à café de sel**
**100 g de farine ordinaire**

1. Mettez le lait, les œufs, le beurre fondu, le sucre et le sel dans un robot et mixez bien, de façon à obtenir une pâte lisse. Ajoutez la farine et mixez par à-coups avec la touche pulse, jusqu'à ce que la pâte soit parfaitement homogène. Transvasez-la dans un récipient, couvrez et laissez reposer au frigo pendant au moins 4 heures ou, mieux, jusqu'au lendemain.

2. Au moment de faire les crêpes, faites chauffer sur feu moyen une poêle à crêpes et beurrez-la avec du papier absorbant trempé dans le beurre fondu. Versez la quantité requise de pâte au centre de la poêle (1 cuillère à soupe ½ pour une petite crêpe de 15 centimètres de diamètre, 3 cuillères à soupe pour une grande crêpe de 20 centimètres). Hors du feu, agitez la poêle dans tous les sens pour répartir la pâte en une couche fine et uniforme tant qu'elle est encore liquide. Remettez sur le feu et laissez cuire environ 1 minute ½, le temps d'obtenir une crêpe bien dorée.

▶▶

3. Retournez la crêpe et faites cuire l'autre côté pendant encore 2 minutes. Faites ensuite glisser la crêpe dans une assiette et recommencez jusqu'à ce qu'il n'y ait plus de pâte. Empilez vos crêpes dans l'assiette au fur et à mesure, et rajoutez du beurre dans la poêle toutes les 2 ou 3 crêpes. Une fois cuites, elles se gardent jusqu'à 6 heures à température ambiante et 3 jours au frigo. N'oubliez pas de les sortir du réfrigérateur suffisamment à l'avance pour pouvoir les servir à température ambiante.

## Quelques trucs à savoir sur les crêpes

- Si c'est vos premières crêpes, préparez sans hésiter le double de pâte. Vous en gâcherez un certain nombre avant d'attraper le coup de main.
- Les Bretons vous diront qu'une véritable poêle à crêpes (en tôle d'acier, très peu profonde et au fond parfaitement plat) est ce qui se fait de mieux. Ils n'ont sans doute pas tort, mais ces crêpières traditionnelles sont un peu « prise de tête » : il faut les culotter, les entretenir, et tout le tralala. Une bonne poêle antiadhésive ordinaire à fond épais fera parfaitement l'affaire. Pensez juste à mesurer le diamètre intérieur pour vous faire une idée de la taille qu'auront vos crêpes.
- L'idée générale, c'est de mettre la bonne quantité de pâte dans la poêle. Un truc tout simple : trouvez-vous une mesure qui contienne exactement la quantité de pâte nécessaire par crêpe, en fonction du diamètre de votre poêle (une petite louche ou une cuillère à sauce, par exemple).
- Conseil aux débutantes : ne vous découragez surtout pas si les premières crêpes sont ratées ou d'une forme bizarre (je sais de quoi je parle). Après quelques échecs... cuisants, vous réussirez sans problème de belles crêpes bien rondes, toutes fines et dorées à souhait (moi, j'ai encore du mal, mais je garde espoir).

# Crêpes garnies

Ce qui est bien avec les crêpes, c'est qu'on peut les accommoder avec presque n'importe quel ingrédient. Confiture, jambon ou tout simplement saupoudrées de sucre en poudre. (Quoique le Nutella soit aussi vraiment excellent...)

## Garniture jambon-épinards

RECETTE POUR GARNIR 8 GRANDES CRÊPES
TEMPS DE PRÉPARATION : 10 MIN
TEMPS DE CUISSON : 8 MIN

**700 g d'épinards frais**
**2 cuill. à soupe de beurre fondu (30 g)**
**4 échalotes coupées en rondelles (sans la racine du milieu)**
**300 ml de ricotta**
**120 g de jambon fumé coupé en petits dés**
**25 g de parmesan râpé**
**Sel et poivre noir du moulin**

1. Coupez les tiges des épinards. Lavez les feuilles sous l'eau froide pour bien éliminer le sable. Essorez au maximum dans une essoreuse à salade. Superposez ensuite plusieurs feuilles pour les émincer en lanières d'environ 1 centimètre.

2. Faites chauffer le beurre sur feu moyen dans une grande sauteuse (30 centimètres de diamètre, c'est parfait), jusqu'à ce qu'il commence à mousser. Jetez-y les échalotes et laissez revenir environ 2 minutes, le temps qu'elles s'attendrissent. Ajoutez la moitié des épinards et poursuivez la cuisson jusqu'à ce qu'ils commencent à « tomber » (c'est une expression de cuisinier). Incorporez alors le reste des épinards au fur et à mesure qu'ils réduisent dans la sauteuse. Laissez cuire jusqu'à ce que les épinards soient tous tombés et d'un beau vert brillant. Transvasez dans un saladier et laissez refroidir.

3. Mélangez la ricotta, les dés de jambon et le parmesan avec les épinards. Salez si nécessaire (car les ingrédients sont déjà salés) et poivrez. Vous pouvez préparer cette garniture 24 heures à l'avance et la conservez, bien couverte, au frigo en attendant de l'utiliser.

## Garniture poulet-champignons

RECETTE POUR GARNIR 8 GRANDES CRÊPES
TEMPS DE PRÉPARATION : 8 MIN
TEMPS DE CUISSON : 9 MIN

**Sel**
**2 cuill. à soupe d'huile d'olive (30 ml)**
**500 g de gros champignons de Paris : ôtez les pieds, coupez les chapeaux en 2, puis chaque moitié en rondelles de 0,5 cm d'épaisseur**
**400 g de poulet cuit émincé en lanières ou grossièrement haché**
**100 g de gruyère grossièrement râpé**
**250 ml de *Sauce Béchamel* (voir p. 114)**
**Poivre noir du moulin**

1. Faites chauffer l'huile à feu moyen dans une grande sauteuse (d'environ 30 centimètres de diamètre). Jetez-y les champignons, salez légèrement. Faites sauter environ 8 minutes tout en remuant, jusqu'à ce que les champignons aient rendu leur eau, que tout le liquide se soit évaporé, et qu'ils commencent à dorer. Versez ensuite dans un saladier et laissez refroidir.

2. Mélangez le poulet haché, le fromage râpé et la béchamel aux champignons. Salez et poivrez à votre goût. Vous pouvez préparer cette garniture 24 heures à l'avance et la conservez, bien couverte, au frigo en attendant de l'utiliser.

# Crêpes fourrées et gratinées

RECETTE POUR 4 PERSONNES
TEMPS DE PRÉPARATION : 6 MIN
TEMPS DE CUISSON : 25 À 35 MIN

**8 grandes crêpes de 20 cm de diamètre (voir *La recette traditionnelle de Bree,* p. 109)**
***Garniture jambon-épinards* (voir recette p. 111) ou *Garniture poulet-champignons* (p. ci-contre)**
**Beurre fondu**

**EN OPTION**

**100 g de gruyère râpé grossièrement**
**25 g de parmesan râpé**
**250 ml de *Sauce Béchamel* (voir recette p. 114)**

Préchauffez votre four à 180 °C (th. 6). Déposez votre garniture dans le tiers inférieur d'une crêpe en laissant dépasser une bordure de 2,5 centimètres. Rabattez par-dessus le bord inférieur, puis faites de même avec les 2 côtés. Roulez ensuite la crêpe bien serré. Disposez les crêpes ainsi fourrées et roulées dans un plat rectangulaire de 20 x 28 centimètres. Enfournez-les ensuite environ 25 minutes, le temps que la garniture soit bien chaude et que le dessus des crêpes devienne croustillant par endroits.

**Bonus :** parsemez de fromage râpé (mélangez gruyère et parmesan) avant de mettre au four.

**Super bonus :** recouvrez au préalable vos crêpes de béchamel puis de fromage râpé, et laissez cuire 35 minutes environ. Le dessus doit être bien doré et les bords du plat doivent bouillonner

# Sauce Béchamel

RECETTE POUR ENVIRON 1 L DE SAUCE
TEMPS DE CUISSON : 20 MIN

**4 cuill. à soupe de beurre fondu (60 g)**
**30 g de farine ordinaire**
**1 l de lait chaud**
**1 ½ cuill. à café de sel**
**¼ de cuill. à café de poivre noir du moulin**
**1 bonne pincée de noix de muscade, fraîchement râpée de préférence**

1. Faites fondre le beurre sur feu assez doux dans une casserole à fond épais de 3 litres, jusqu'à ce qu'il commence à mousser. Incorporez alors la farine en fouettant. Poursuivez la cuisson pendant 4 minutes, sans cesser de fouetter.

2. Versez petit à petit le lait chaud dans votre base de beurre et de farine, tout en continuant de fouetter. Surveillez tout spécialement les bords, c'est là que la sauce a tendance à attacher et à brûler le plus facilement (là aussi, je sais de quoi je parle). Après avoir incorporé tout le lait, continuez de fouetter jusqu'à ébullition. Baissez alors le feu pour obtenir un simple frémissement et laissez la sauce épaissir à feu doux pendant environ 5 minutes. Assaisonnez de sel, de poivre et de muscade. La béchamel s'utilise dans la foulée ou peut être conservée jusqu'à 2 heures à température ambiante dans un bol recouvert d'un film alimentaire bien ajusté. Ne la mettez surtout pas au frigo, cela dénaturerait sa texture.

# LA LISTE DE COURSES DE SUSAN

Pansements
Bandes de gaze
Eau oxygénée
Compresses
Plats cuisinés surgelés allégés

## Magasin bio

Pommes

Bananes

Poires

Oranges Navel

Barres de céréales aux myrtilles

Barres de céréales aux pommes

Muesli

Céréales

Salade verte

Flocons d'avoine

Lait

Livre du Dr Phil sur l'amour

Merlot

Chardonnay

Coca light

Glace Ben & Jerry's

Macaronis au fromage surgelés

Magazine Elle

Pizza surgelée

Chips au four allégées

Crackers épicés

Anxiolytiques

# « Sloppy Joes » à ma façon

Le plat traditionnel américain (de la viande hachée nageant dans une sauce tomate aux légumes) est assez salissant. J'y ai ajouté quelques ingrédients de mon cru pour lui donner du peps. Vous vous méfiez ? Normal, quand on me connaît un peu. Mais c'est un vrai miracle : d'après Bree, il s'agit d'un cas unique, puisque ma recette serait meilleure que la version originale !

POUR UNE VERSION SOFT DES SLOPPY JOES, PRENEZ DU PAPRIKA ORDINAIRE. POUR UNE VERSION PLUS MUSCLÉE, OPTEZ POUR DU PAPRIKA FORT OU FUMÉ (IMPORTÉS DE HONGRIE OU D'ESPAGNE ; VOIR LES SOURCES, P. 266).

RECETTE POUR 4 PERSONNES EN SANDWICH
OU 6 PERSONNES AVEC DES MACARONIS
TEMPS DE PRÉPARATION : 5 MIN
TEMPS DE CUISSON : 40 MIN

**Sel**
**1 cuill. à soupe d'huile végétale (15 ml)**
**1 gros oignon jaune coupé en dés (env. 300 g)**
**1 grosse branche de céleri (sans les feuilles) coupée en dés (env. 150 g)**
**500 g de viande hachée de bœuf ou de dinde**
**1 cuill. à café de paprika**
**1 petite boîte de tomates avec leur jus, coupées en dés (400 g)**
**3 cuill. à soupe de sauce Worcestershire (45 ml)**
**Sauce piment selon votre goût**
**4 petits pains ou 300 g de macaronis**
**Cheddar râpé (facultatif)**

**1.** Faites chauffer l'huile sur feu moyen dans une grande sauteuse. Jetez-y les oignons ainsi que le céleri et salez légèrement. Laissez revenir pendant 4 minutes tout en remuant. Ajoutez la viande hachée dans la poêle en l'écrasant à la fourchette. Faites cuire environ 4 minutes, jusqu'à ce qu'il ne reste plus aucune trace de rose et que le liquide rendu se soit évaporé.

**2.** Incorporez le paprika, laissez mijoter encore 1 minute, puis ajoutez les tomates avec leur jus. Portez à ébullition, ajoutez quelques traits de sauce Worcestershire, et baissez ensuite le feu pour obtenir un léger frémissement. Laissez réduire environ 15 minutes, en n'oubliant pas de remuer régulièrement. Il doit rester juste assez de jus pour napper la viande et les légumes. Assaisonnez de sel et de sauce piment à votre goût. Ce plat se mange chaud ou froid et vous pouvez le conserver jusqu'à 3 jours au réfrigérateur, bien couvert.

### POUR SERVIR EN SANDWICH :

Ouvrez vos petits pains en 2 et faites-les légèrement griller sous le gril si vous le désirez. Déposez environ 250 millilitres de Sloppy Joes sur chaque demi-pain, parsemez éventuellement de cheddar râpé, puis recouvrez de la seconde moitié de pain.

### POUR SERVIR AVEC DES MACARONIS :

Faites cuire les macaronis dans une grande quantité d'eau salée. Ils doivent être bien cuits, mais pas collants. Réservez environ 125 millilitres de l'eau de cuisson, puis égouttez bien vos pâtes. Remettez les macaronis dans la casserole, versez les Sloppy Joes et mélangez bien. Rectifiez l'assaisonnement et ajoutez autant d'eau de cuisson que nécessaire afin de donner à votre sauce la consistance voulue pour napper les macaronis. Servez dans des bols de service chauds et saupoudrez de cheddar râpé, si vous voulez.

# Purée de pommes de terre à l'ail

Lorsqu'on commence à parler purée, il y a deux écoles. Certains l'aiment parfaitement lisse, alors que d'autres – dont je fais partie – la préfèrent légèrement grumeleuse. Pour satisfaire les premiers, vous prendrez un batteur électrique, et pour me faire plaisir, un presse-purée manuel.

RECETTE POUR 4 PERSONNES
TEMPS DE PRÉPARATION : 12 MIN
TEMPS DE CUISSON : 25 MIN

**Sel**
**2 grosses pommes de terre farineuses, de la variété Bintje par exemple (env. 700 g)**
**10 gousses d'ail émincées**
**125 ml de lait ou de crème fraîche liquide**
**60 g de beurre doux, coupé en petits morceaux**
**Poivre noir du moulin**

1. Pelez et lavez les pommes de terre. Coupez-les en gros morceaux d'environ 5 centimètres et mettez-les au fur et à mesure dans une casserole de 2 litres remplie d'eau. Ajoutez une petite poignée de sel ainsi que l'ail émincé. Portez à ébullition et laissez cuire environ 15 minutes. Les pommes de terre doivent être tendres sans se défaire quand on les pique avec un petit couteau. Attention de ne pas les faire trop cuire.

2. Égouttez les pommes de terre et l'ail, puis remettez-les dans la casserole. Laissez ensuite refroidir 2 ou 3 minutes à découvert. Ajoutez alors le lait et le beurre dans la casserole, et faites cuire à feu doux jusqu'à ce que le beurre soit fondu. Battez ou écrasez le tout à l'aide d'un fouet, d'un presse-purée ou d'un batteur électrique, jusqu'à obtenir la consistance désirée. Salez et poivrez à votre goût et servez bien chaud.

# Coleslaw facile ou superfacile

Le coleslaw est une salade à base de chou et de carotte très prisée des Anglo-Saxons.

RECETTE POUR ENVIRON 600 G
POUR 4 PERSONNES EN ENTRÉE
TEMPS DE PRÉPARATION : 5 MIN

#### POUR LA SAUCE

**125 ml de mayonnaise**
**2 cuill. à soupe de vinaigre blanc (30 ml)**
**1 cuill. à soupe de sucre**
**¾ cuill. à café de sel**
**½ cuill. à café de graines de céleri (ou sinon des graines de cumin)**

#### COLESLAW FACILE

**1 petit chou vert bien pommelé (env. 700 g)**
**2 carottes moyennes épluchées**

#### COLESLAW SUPERFACILE

**1 sachet de 450 g de mélange pour coleslaw tout prêt (si vous en trouvez) ou 450 g de carottes râpées et de chou blanc émincé en sachet (moitié chou, moitié carottes)**

1. Préparez la sauce : fouettez ensemble tous les ingrédients dans un saladier.
2. Version facile : coupez votre chou en quartiers et émincez-le à l'aide de votre mixeur. Transvasez dans un grand sac plastique avec fermeture (un sac de congélation, par exemple). Râpez ensuite les carottes, que vous mettrez également dans le sac. Version superfacile : versez le mélange tout prêt ou les carottes râpées et le chou émincé en sachet dans un grand sac en plastique avec fermeture.
3. Ajoutez la sauce dans le sac. Chassez presque tout l'air (mais laissez-en un peu quand même), puis fermez-le. Malaxez les légumes à travers le plastique pour bien les enrober de sauce. Mettez le sac au réfrigérateur pendant au moins 4 heures et au plus 2 jours. Malaxez le contenu de temps à autre. Le chou doit se ramollir progressivement et l'assaisonnement devenir bien crémeux. Rajoutez du sel si nécessaire et servez. Vous pouvez garder votre coleslaw jusqu'à 4 jours au frigo.

▶▶

VARIANTES

## Coleslaw épicé

Remplacez tout simplement le vinaigre par la saumure d'un bocal de pickles de piments forts (*peperoncini* italiens ou piments cerise des Antilles, par exemple).

## Coleslaw sauce barbecue

Mélangez 2 cuillères à soupe de votre sauce barbecue favorite dans le coleslaw avant de le servir.

# Poêlée d'asperges et ses variantes

RECETTE POUR 4 PERSONNES
TEMPS DE PRÉPARATION : 5 MIN
TEMPS DE CUISSON : 12 MIN

**500 g d'asperges vertes de taille moyenne (d'env. 1 cm de diamètre)**
**15 g de beurre, coupé en fines lamelles**
**Sel et poivre noir du moulin**

1. Préparez tout d'abord les asperges : tenez la pointe dans une main et pliez l'autre extrémité jusqu'à ce que la tige se casse en faisant un bruit sec. Jetez la partie dure. (Vos asperges n'auront pas forcément toutes la même taille après cette opération.) Pelez-les avec un épluche-légumes depuis le bout jusqu'à environ ½ centimètre de la pointe.

2. Mettez 2 cuillères à soupe d'eau dans une sauteuse de 25 centimètres de diamètre. Disposez les asperges dans la sauteuse et répartissez les lamelles de beurre pardessus. Faites chauffer sur feu moyen jusqu'à ce que l'eau commence à frémir. Salez et poivrez légèrement. Couvrez et laissez mijoter environ 4 minutes. La tige des asperges doit être tendre, mais encore un peu ferme. Découvrez, augmentez le feu et poursuivez la cuisson jusqu'à ce que toute l'eau se soit évaporée et que les asperges commencent à grésiller. Dressez dans un plat et servez aussitôt.

VARIANTES

## Poêlée d'asperges à l'orange

Ajoutez un zeste d'orange râpé dans la poêle en même temps que l'eau et le beurre.

## Poêlée d'asperges aux fruits secs

Une fois le liquide complètement évaporé, ajoutez à vos asperges 3 cuillères à soupe de poudre de noisettes, d'amandes ou de pignons grillés.

# Haricots verts au four

Encore une recette supposée inratable, qui s'est parfois avérée une épreuve pour moi. Mettez vos haricots dans un plat avec de l'ail, de l'huile d'olive et du sel, puis laissez votre four faire tout le travail, à chaleur modérée. Vous n'avez qu'à remuer une fois ou deux pendant la cuisson, et le tour est joué.

RECETTE POUR 4 PERSONNES
TEMPS DE PRÉPARATION : 5 MIN
TEMPS DE CUISSON : 40 MIN

**Sel**
**500 g de haricots verts frais, équeutés et lavés**
**2 cuill. à soupe d'huile d'olive (30 ml)**
**8 gousses d'ail coupées en rondelles pas trop fines**
**2 ou 3 quartiers de citron (facultatif)**

1. Préchauffez votre four à 200 °C (th. 7).
2. Mettez vos haricots dans un plat à four rectangulaire (28 x 32 centimètres) avec l'huile d'olive, l'ail et un peu de sel. Enfournez et laissez cuire pendant environ 40 minutes, tout en les remuant 2 ou 3 fois en cours de cuisson. Ils doivent devenir bien tendres et commencer à brunir par endroits. À servir chaud ou à température ambiante, avec éventuellement un filet de citron.

# Polenta express

Traditionnellement, la polenta est un plat qui exige quarante-cinq bonnes minutes de préparation, pendant lesquelles on doit tourner jusqu'à attraper des crampes. Mais la polenta précuite est arrivée, et c'est une invention géniale pour les gens comme moi !

RECETTE POUR 4 PERSONNES
TEMPS DE PRÉPARATION : 2 MIN
TEMPS DE CUISSON : 10 MIN

**240 g de polenta précuite**
**1 ½ cuill. à café de sel**
**30 g de beurre doux ou 2 cuill. à soupe d'huile d'olive (30 ml)**
**25 g de parmesan râpé (facultatif)**

1. Mélangez la polenta, le sel et la quantité d'eau indiquée sur le paquet dans une casserole de 2 litres. Faites cuire à feu moyen, tout en remuant jusqu'à ébullition. Baissez le feu de façon à obtenir un simple frémissement, et laissez mijoter pendant environ 4 minutes sans cesser de remuer, le temps que la polenta s'épaississe et prenne l'aspect d'une bouillie compacte. Au besoin, n'hésitez pas à rajouter de l'eau pour obtenir la bonne consistance.

2. Retirez du feu et ajoutez le beurre ainsi que le parmesan le cas échéant, tout en continuant de remuer. Servez sans attendre.

MÊME SI L'EMBALLAGE DE LA POLENTA NE PORTE PAS LA MENTION « PRÉCUITE », ÇA NE VEUT PAS FORCÉMENT DIRE QU'ELLE NE L'EST PAS. REGARDEZ LE MODE D'EMPLOI : SI LE TEMPS DE CUISSON EST PROCHE DES 5 MINUTES, C'EST DE LA POLENTA PRÉCUITE ; S'IL EST PLUS PRÈS DES 30 MINUTES, C'EST DE LA POLENTA TRADITIONNELLE. (VOIR LES SOURCES, P. 266)

VARIANTE

Polenta grillée : une fois cuite, versez votre polenta dans un moule à manqué de 20 centimètres de diamètre préalablement huilé, puis laissez-la se solidifier et refroidir complètement. Préchauffez ensuite votre four à 230 °C (th. 8). Démoulez et découpez votre polenta en 8 parts, comme un gâteau, que vous badigeonnerez généreusement d'huile d'olive sur toutes les faces. Placez-les sur une plaque de cuisson et enfournez à mi-hauteur. Laissez cuire environ 20 minutes, jusqu'à ce que vos parts de polenta soient bien dorées et croustillantes.

# Gâteaux fondants au chocolat

RECETTE POUR 20 PETITS GÂTEAUX INDIVIDUELS
TEMPS DE PRÉPARATION : 15 MIN
TEMPS DE CUISSON : 30 MIN

**240 g de farine ordinaire + un peu pour les moules**
**60 g de cacao amer**
**1 ½ cuill. à café de levure chimique**
**½ cuill. à café de sel**
**180 g de beurre doux ramolli + une noisette pour les moules**
**300 g de sucre en poudre**
**3 gros œufs à température ambiante**
**2 cuill. à café d'extrait de vanille**
**240 ml de lait à température ambiante + 2 cuill. à soupe**

1. Placez la grille à mi-hauteur dans votre four et préchauffez celui-ci à 180 °C (th. 6). Farinez et beurrez les moules.

2. Mélangez la farine, le cacao, la levure et le sel dans un saladier, puis réservez. Dans le bol d'un mixeur, travaillez le beurre et le sucre pendant 4 ou 5 minutes à vitesse maximum, jusqu'à ce que le mélange blanchisse et devienne mousseux. Incorporez les œufs un à un, en battant bien à chaque fois, puis ajoutez la vanille sans cesser de battre votre pâte. Versez au fur et à mesure les ingrédients secs (ceux du premier saladier) dans celui qui contient la préparation aux œufs, et mixez le tout à vitesse réduite pour bien les amalgamer. Versez ensuite le lait, tout en continuant de mixer à faible vitesse jusqu'à ce que votre mélange soit homogène et présente un aspect crémeux.

3. Répartissez votre pâte dans les moules, enfournez et laissez cuire environ 30 minutes. Laissez refroidir 30 minutes, puis démoulez vos gâteaux et laissez-les refroidir complètement sur la grille avant de les servir tels quels ou de les napper d'un glaçage.

# Glaçage au caramel

Comme il s'agit d'un glaçage à base de crème, ne traînez pas pour placer vos gâteaux au réfrigérateur aussitôt après les avoir nappés. Pensez à les sortir du frigo environ 30 minutes à l'avance pour les servir à température ambiante.

RECETTE POUR 840 ML, SOIT DE QUOI GLACER
20 PETITS GÂTEAUX INDIVIDUELS
TEMPS DE PRÉPARATION : 5 MIN
TEMPS DE CUISSON : 5 MIN

**475 ml de crème fraîche épaisse**
**280 g de petits caramels mous (environ 50 pièces, sans leur emballage !)**

1. Dans une grande casserole, faites fondre les caramels avec la crème sur feu très doux, en remuant de temps en temps. Versez ce mélange dans un saladier et recouvrez d'un film alimentaire parfaitement ajusté. Réfrigérez pour que votre mixture soit bien froide.

2. Battez ensuite votre crème au caramel au batteur électrique, à vitesse rapide, jusqu'à ce qu'elle soit légère, mousseuse et qu'elle puisse s'étaler facilement. Vous pouvez préparer ce glaçage jusqu'à 24 heures à l'avance et le garder au frais, bien couvert, jusqu'au moment de l'utiliser.

# Barres caramel-chocolat

RECETTE POUR ENVIRON 16 BARRES DE 5 X 7,5 CM
TEMPS DE PRÉPARATION : 10 MIN
TEMPS DE CUISSON : 25 À 30 MIN

**Huile végétale en spray pour la cuisson**
**360 g de farine ordinaire**
**1 ½ cuill. à café de levure chimique**
**¾ de cuill. à café de sel**
**240 g de beurre doux, ramolli à température ambiante**
**200 g de sucre en poudre**
**150 g de cassonade**
**3 gros œufs**
**2 cuill. à soupe d'extrait de vanille (30 ml)**
**100 g de pépites de chocolat**
**100 g de pépites de caramel**

1. Placez la grille à mi-hauteur dans votre four et préchauffez celui-ci à 180 °C (th. 6). Vaporisez un moule rectangulaire (idéalement de 23 x 32 centimètres) d'huile en spray.

2. Mélangez la farine, la levure et le sel dans un saladier, puis réservez. Travaillez le beurre et les sucres dans le bol d'un mixeur (ou au batteur électrique dans un autre saladier), à vitesse maximum pendant 4 minutes, jusqu'à ce que votre mélange blanchisse et commence à mousser. Incorporez le mélange sec du premier saladier. Ajoutez ensuite les œufs, un par un, en battant bien à chaque fois, puis l'extrait de vanille, sans cesser de battre.

3. À l'aide d'une spatule souple en caoutchouc, incorporez ensuite les pépites de chocolat et de caramel. Versez la pâte dans le moule et aplanissez la surface à la spatule. Mettez au four 25 à 30 minutes. Votre gâteau doit alors dorer et se soulever sur les bords. Laissez complètement refroidir sur une grille, avant de le découper en carrés ou en barres rectangulaires.

# Muesli croustillant mais pas trop

Les plats sains, c'est bien, mais les bons petits plats, c'est mieux. Ce muesli croustillant, très complet et délicieusement parfumé au sucre roux et au sirop d'érable, répond à ces deux critères. Préférez les copeaux de noix de coco à la noix de coco râpée, pour un goût plus authentique.

RECETTE POUR ENVIRON 1 KG
TEMPS DE PRÉPARATION : 5 MIN
TEMPS DE CUISSON : 45 MIN

**Huile végétale**
**270 g de flocons d'avoine à l'ancienne (longue cuisson)**
**50 g de germes de blé**
**150 g d'amandes effilées**
**100 g de copeaux de noix de coco sans sucre ajouté (facultatif / voir les Sources p. 266)**
**80 ml de sirop d'érable**
**100 g de raisins secs, de cerises séchées ou autres petits fruits secs**
**150 g de bananes séchées en rondelles, brisées en petits morceaux**

1. Placez la grille à mi-hauteur dans votre four et préchauffez celui-ci à 150 °C (th. 4/5).
2. Huilez généreusement un plat à rôtir. Dans un saladier, mélangez les flocons d'avoine, les germes de blé, les amandes et la noix de coco (si vous en mettez), puis étalez cette préparation dans votre plat en une couche régulière. Enfournez-le pendant 30 minutes, en remuant 2 ou 3 fois, jusqu'à ce que votre muesli commence à dorer.
3. Dans un bol, fouettez le sirop d'érable avec le sucre roux et 2 cuillères à soupe d'eau pour obtenir un liquide bien lisse. Versez sur votre muesli, en mélangeant bien. Remettez au four environ 15 minutes, en remuant de temps en temps, jusqu'à ce que le muesli cesse de s'agglomérer et que les flocons restés libres soient joliment dorés. Sortez votre muesli du four et ajoutez alors les raisins secs et les morceaux de banane. Laissez refroidir complètement. Vous pourrez conserver ce muesli jusqu'à 4 semaines dans un récipient hermétique.

## L'art et la manière de faire
## Le parfait café

C'est pendant mes années de fac que je me suis découvert un goût immodéré pour le café, qui est devenu en quelque sorte mon meilleur ami. Mais un partenaire de cette trempe ne se traite pas à la légère. En d'autres termes, pas question de boire du café instantané, encore moins un jus fade et insipide. Voici donc mes conseils pour réaliser un parfait café, véritablement digne de ce nom.

Achetez du café en grains le plus frais possible. Je prends en général de l'arabica torréfié à la française, c'est-à-dire une torréfaction plus foncée qu'à l'américaine, mais plus claire qu'à l'italienne. Mon café préféré est le Kona, découvert pendant un voyage à Hawaii avec Karl, où il semble bien qu'il ait eu une aventure « exotique » avec la fille de la réception. Celui-là, un collier de fleurs autour du cou et on ne le tient plus... Bref, je m'éloigne du sujet. Concentrons-nous sur les trucs à savoir pour faire un parfait café.

- Ne congelez jamais votre café, cela détruit les arômes.
- N'utilisez pas de cafetière à filtre. Les spécialistes préfèrent les cafetières à piston, type Bodum. Elles requièrent une mouture plus grossière, mais donnent un café beaucoup plus riche qu'une cafetière ordinaire.
- Utilisez un moulin à café pour moudre vos grains. Votre mouture ne doit pas être trop fine, sauf si vous faites un expresso, ce qui est encore autre chose.
- Comptez une cuillère à soupe de café moulu pour une petite tasse. Utilisez un mélange de décaféiné et de café torréfié, en forçant sur le déca pour pouvoir obtenir un café serré sans sauter au plafond.
- Vous pouvez utiliser l'eau du robinet, à condition de la laisser couler quelques instants. Mais c'est encore mieux avec de l'eau minérale.
- Pendant que votre café infuse, rincez vos tasses à l'eau TRÈS CHAUDE. Si vous prenez du lait, versez-en un peu au fond de la tasse et laissez-le se réchauffer à son contact.
- Versez le café dès qu'il est prêt et offrez-le aussitôt à un ami en manque de caféine.

# Gabrielle

# Parmi toutes les choses

en ce bas monde, Gabrielle Solis désire par-dessus tout ce qui se fait de mieux et de plus cher. Née au sein d'une famille pauvre dans une petite bourgade, Gabrielle s'était jurée de prendre sa revanche un jour et de se payer tout ce qu'elle voulait – ses désirs ne connaissant aucune limite. C'est ainsi qu'elle réussit à se faire un chemin jusqu'à la « grande ville » et à devenir mannequin à New York, ce qui lui permit de séduire un certain nombre d'hommes très riches. On pourrait croire que lorsque ses prétendants l'invitaient à dîner, la belle était du genre à grignoter du bout des lèvres une salade et un blanc de poulet. Mais notre Gabrielle était une sacrée veinarde. À condition de ne pas tomber dans les excès, elle pouvait se délecter de tous les mets somptueux que ses amants étaient prêts à payer pour ses beaux yeux. Qui ne prendrait pas goût à une vie aussi facile et fastueuse, avec restaurants gastronomiques à chaque repas, et aux frais de la princesse !

À l'approche de ses vingt-cinq ans, Gabrielle comprit que sa carrière de mannequin ne durerait pas éternellement. Elle se débrouilla alors pour faire croire à son amant du moment, l'homme d'affaires Carlos Solis, que l'idée du mariage venait de lui. Car la petite futée savait qu'en l'épousant, elle serait à l'abri du besoin pour les années à venir. Elle ne se doutait pas de ce qui l'attendait. D'ailleurs, quand elle visita pour la première fois Wisteria Lane au bras de son tout nouveau mari, elle se moqua de ses futures voisines, qu'elle considérait comme des caricatures tout droit sorties de *Côte Ouest* ou des *Feux de l'amour*. Moins de six mois plus tard,

elle faisait partie de la bande et, à sa grande surprise, cela lui plut beaucoup. Dès qu'ils eurent emménagé dans le quartier, Carlos se mit à s'investir totalement dans son travail, ne pensant qu'à amasser toujours plus d'argent. Se sentant délaissée, la pauvre Gabrielle tomba dans les bras de son jeune et ardent jardinier… Mais c'est une autre histoire.

Si Gabrielle se sent maintenant chez elle à Wisteria Lane, on ne peut pas dire pour autant qu'elle se sente à l'aise dans sa propre cuisine. Elle a choisi le réfrigérateur géant tout inox et tous les autres équipements high-tech de sa cuisine haut de gamme avec l'aide de Bree. Mais quelle ne fut pas la déception de cette dernière quand elle comprit que toutes ces merveilles n'étaient destinées qu'à reproduire fidèlement le look branché et luxueux des cuisines que Gabrielle admirait sur papier glacé, mais que celle-ci n'avait aucune intention d'en faire elle-même usage. Pourquoi se fatiguer quand on a les moyens de payer quelqu'un pour le faire à sa place ? Même les allusions peu subtiles de feu sa belle-mère Juanita étaient des coups d'épée dans l'eau. Rien n'émouvait Gabrielle, qui n'était pourtant pas la dernière à dévorer les bons petits plats que Juanita confectionnait à l'occasion.

Lorsqu'elle est seule, Gabrielle opte pour des aliments sains et sans chichis, qu'elle se prépare sur le pouce. Quand Carlos le lui demande, et s'il insiste, elle peut se laisser persuader d'apporter la petite touche finale à deux ou trois spécialités hispaniques. Les recettes qui suivent sont celles qu'elle préfère, mais contrairement aux autres femmes, ce sont des recettes qu'elle ne réalise pas souvent elle-même. Heureusement, grâce à l'argent de son mari et à son charme, elle parvient toujours à trouver quelqu'un pour cuisiner à sa place ces délicieux petits plats.

## Soupe de haricots noirs

Pour celles qui n'envisagent même pas de prendre le temps de faire tremper des haricots noirs, vous pouvez parfaitement utiliser des haricots rouges précuits en conserve.

RECETTE POUR 1,5 L
POUR 4 PERSONNES, SERVIES COPIEUSEMENT
TEMPS DE PRÉPARATION : 15 MIN
TEMPS DE CUISSON : 15 MIN

**POUR LA SOUPE**

**75 cl de *Bouillon de poulet maison* (voir recette p. 37) ou de bouillon de volaille en cube**
**Environ 800 g de haricots noirs, égouttés et rincés (ou rouges)**
**1 oignon jaune moyen, finement haché**
**1 boîte de 230 ml de sauce tomate épicée ou 250 g de purée de tomates**
**2 gousses d'ail finement hachées**
**1 cuill. à café de coriandre moulue (facultatif)**
**½ cuill. à café de cumin moulu**
**Sel et poivre noir du moulin**

**POUR ACCOMPAGNER LA SOUPE (FACULTATIF)**

**Crème fraîche**
**1 oignon rouge coupé en dés**
**Coriandre fraîche hachée**
**Sauce au piment rouge en bouteille (type Tabasco)**

1. Mélangez la totalité des ingrédients pour la soupe dans un faitout de 3 litres. Portez à ébullition sur feu vif. Réduisez ensuite à un simple frémissement. Laissez mijoter 15 minutes, sans couvrir.

2. Versez environ 35 millilitres de cette soupe dans un robot, et mixez-la à faible vitesse jusqu'à ce que le mélange devienne onctueux. Reversez ensuite dans le faitout contenant le reste de la soupe. Rectifiez l'assaisonnement. Servez dans des bols préalablement chauffés et présentez les accompagnements à part.

## Conseil d'amie

Achetez des grenades ! Non, pas celles qui explosent. Je parle de ce gros fruit rouge qui ressemble vaguement à une pomme, dont la peau est épaisse et qui est si difficile à manger. Mais vous pouvez aussi essayer le jus de grenade, que l'on trouve parfois au rayon frais des grandes surfaces. Quand j'étais mannequin, c'était vraiment tendance d'en consommer (les pépins sont très riches en vitamines C et E et on dit qu'ils sont excellents pour la peau). En outre, le jus de grenade a des propriétés antioxydantes trois fois supérieures à celles du vin rouge ou du thé vert, que l'on connaissait déjà comme étant la meilleure protection contre les maladies cardio-vasculaires. Alors, ne vous en privez pas, elles peuvent vous sauver la vie !

# Guacamole et ses tortillas chaudes

Il suffit parfois d'un infime détail – comme réchauffer les tortillas sur une plaque de cuisson à 90 °C (th. 3) – pour faire toute la différence en matière de cuisine. Moi, j'utilise le tiroir chauffant, c'est bien plus pratique (mais tout le monde n'a pas la chance d'en posséder un).

RECETTE POUR 600 G
TEMPS DE PRÉPARATION : 8 MIN
TEMPS DE CUISSON : 5 MIN

**Sel**
**1 cuill. à soupe de jus de citron vert (ou davantage)**
**2 petits avocats (env. 450 g) de la variété Hass (peau noire et rugueuse)**
**3 cuill. à soupe d'oignon rouge émincé**
**2 cuill. à soupe de coriandre fraîche finement hachée**
**1 petit piment serrano ou ½ piment jalapeño, débarrassé de son pédoncule, épépiné et émincé**
**Tortillas chips / nachos en sachet**

1. Versez le jus de citron vert dans un saladier de taille moyenne. En partant du haut, coupez l'avocat jusqu'au noyau. Faites pivoter votre couteau dans la chair en contournant le noyau, puis séparez les 2 moitiés d'un mouvement circulaire. Avec la pointe du couteau, dégagez le noyau. Procédez de la même façon pour le second avocat. Coupez chaque moitié en 2 parties, ôtez la peau, hachez rapidement la chair et incorporez-la au jus de citron vert. Ajoutez l'oignon, la coriandre et le poivre. Écrasez sommairement ces ingrédients à la fourchette en laissant volontairement de gros morceaux. Salez à votre convenance.

2. Le guacamole peut être conservé jusqu'à 4 heures au réfrigérateur. Recouvrez rapidement votre préparation d'un film alimentaire pour empêcher qu'il noircisse. Placez-le à température ambiante et réservez 15 minutes avant de servir. Répartissez ensuite les tortillas en couche uniforme sur une plaque de cuisson dans votre four à 120 °C (th. 4), et faites réchauffer 5 minutes. Empilez-les avec précaution dans une panière. Réchauffez à nouveau, si besoin.

# Gabrielle et Lynette...

De: Gabriellemodel@wisterialane.com
A: Lynette.Scavo@wisterialane.com

Lynette,

Hier soir, pendant notre partie de poker, tu m'as demandé la recette de mes quesadillas. Saches que ma recette est très « spéciale » : je passe un coup de fil au chef Miguel Arteta de l'Oaxaca Café et j'envoie Carlos les chercher. C'est précisément ce que j'ai fait hier soir. Ma contribution s'est limitée à les mettre dans mon four, pour les réchauffer.

D'un autre côté, ma défunte belle-mère Juanita avait bien une recette du feu de Dieu qu'elle faisait à l'occasion. C'était une vieille bique, mais je ne peux pas lui enlever qu'avec une tortilla et du fromage, elle faisait des merveilles !

Amitiés,
Gaby

P.S. : Carlos a couché avec la bonne, alors je l'ai viré.
Régale-toi bien avec les quesadillas !

# Quesadillas de Juanita Solis

RECETTE POUR 4 PERSONNES EN ENTRÉE
OU 2 PERSONNES EN PLAT PRINCIPAL
TEMPS DE PRÉPARATION : 5 MIN
TEMPS DE CUISSON : 8 À 10 MIN

**200 à 250 g de cheddar (ou gouda, cantal…)**
**4 tortillas de blé, de 20 cm de diamètre chacune**
**100 g de poulet cuit haché, de haricots cuisinés égouttés, de chair de crabe, ou de tout autre ingrédient (voir la note ci-dessous)**
**2 cuill. à soupe de piment grillé (voir l'encadré p. 83), facultatif**
**Crème fraîche**
**Sauce salsa (aux oignons, tomates et piments : voir p. 166)**

Étalez le fromage en couche uniforme sur 2 tortillas, jusqu'aux bords. Disposez le poulet, les haricots, le crabe ou autre sur le fromage, pour farcir les tortillas. Ajoutez le piment grillé, si vous en utilisez. Couvrez chaque tortilla d'une autre et alignez bien les bords en appuyant. Vous pouvez préparer ces quesadillas la veille. Pour les conserver, posez une feuille de papier absorbant entre chaque, puis enveloppez-les d'un film alimentaire avant de les placer au réfrigérateur.

**Note :** Vous pouvez aussi utiliser des oignons rouges hachés et bien dorés à la poêle, des crevettes, des restes de travers de porc grillés, des légumes ou des champignons cuits, ou encore du filet de bœuf, le tout haché bien entendu.

# Comment préparer et servir les quesadillas

Si les quesadillas peuvent être garnies au gré de votre imagination, il existe aussi plusieurs façons de procéder pour leur cuisson. En voici quelques-unes. Il est préférable de laisser les quesadillas reposer quelques minutes avant de les servir : la garniture bouillante refroidira un peu, cela facilitera la découpe et vous pourrez les manger sans vous brûler. Coupez chaque quesadilla en 4 et nappez chaque tranche d'une bonne cuillère de crème fraîche et d'une cuillère de sauce salsa, ou bien servez-les séparément.

## Quesadillas en grillades :

8 MIN

Faites chauffer votre barbecue à gaz ou à charbon de bois. Laissez griller les quesadillas pendant 4 minutes : le dessous doit être bien doré par endroits et porter la marque du gril. Retournez-les et répétez l'opération.

## Quesadillas à la poêle :

8 À 10 MIN

Huilez légèrement une poêle bien lourde à fond plat (l'idéal est de disposer d'une poêle en fonte) avec un papier absorbant trempé dans de l'huile. Préchauffez quelques minutes. Faites cuire la première quesadilla pendant 4 ou 5 minutes, jusqu'à ce que le dessous soit bien doré. Retournez délicatement et faites dorer l'autre côté de la même manière. Procédez de même avec les autres quesadillas. Si vous disposez d'une plaque chauffante, allumez 2 feux afin de préparer 2 quesadillas en même temps. (La plaque doit être chauffée à 180 °C, th. 6.)

## Quesadillas au four :

8 MIN

Placez la grille à 15 centimètres du gril supérieur du four et préchauffez à feu doux. Mettez les quesadillas sur une plaque de cuisson et faites cuire jusqu'à ce que le dessus soit doré et que le fromage commence à fondre. Retournez et faites dorer l'autre côté de la même manière. Faites tourner la plaque de manière à obtenir une cuisson uniforme.

## L'ABC des quesadillas

Il s'agit tout simplement de deux tortillas garnies de fromage râpé et de divers autres ingrédients, au gré de votre inspiration. Elles ne sont pas sans rappeler les sandwichs, en plus exotiques bien sûr. On les fait ensuite cuire pour qu'elles soient croustillantes et que la garniture soit bien chaude. La plupart du temps, les tortillas sont à base de farine de blé blanche (même si les tortillas de maïs s'accommodent bien mieux avec les recettes traditionnelles). Vous pouvez cependant réaliser vos quesadillas avec des tortillas préparées avec de la farine de blé complet, si vous avez la possibilité de vous en procurer (on en trouve de plus en plus dans les épiceries). Pour la garniture, choisissez un fromage qui fond facilement, comme le Monterrey Jack (fromage de la ville de Monterrey), mais il peut être remplacé par du gouda ou du cantal jeune. C'est la base... ensuite, tout est permis !

# Paëlla épicée

C'est le seul plat que je daigne confectionner moi-même, à l'occasion. C'est une recette simplissime de mon enfance, qui ne nécessite pas d'avoir chez soi une poêle spéciale paëlla. La dernière fois que je l'ai préparée, c'était pour la veillée mortuaire de Mary Alice Young.

RECETTE POUR 6 PERSONNES
TEMPS DE PRÉPARATION : 25 MIN
TEMPS DE CUISSON : 30 MIN

**12 cl de vin blanc**

**1 cuill. à café de safran en filaments**

**3 cuill. à soupe d'huile d'olive**

**6 cuisses de poulet sans leur peau, désossées et coupées en morceaux de 3 à 4 cm (env. 700 g)**

**3 bâtons de chorizo épicé, coupés en rondelles de 1 cm (env. 300 g)**

**1 oignon jaune moyen, coupé en dés de 1 cm (env. 200 g)**

**1 poivron rouge moyen, sans son trognon, épépiné et coupé en dés de 1 cm (env. 150 g)**

**½ cuill. à café de piment de Cayenne (facultatif)**

**Sel et poivre noir du moulin**

**300 g de riz Uncle Ben's**

**75 cl de *Bouillon de poulet maison* (voir recette p. 37) ou de bouillon de volaille en cube**

**500 g de grosses crevettes décortiquées et dénervées (env. 20 pièces)**

**24 moules**

**12 palourdes**

**300 g de petits pois cuits**

1. Mettez le safran dans un petit bol et versez le vin par-dessus. Réservez pendant que vous préparez la paëlla.

2. Dans une grande cocotte profonde (au moins 30 centimètres de diamètre et 8 centimètres de profondeur), faites chauffer l'huile d'olive à feu moyen. Disposez le poulet et le chorizo. Laissez revenir 8 minutes, en remuant de temps

▶▶

en temps. La viande doit être légèrement dorée de tous côtés. À l'aide d'une écumoire, prélevez les morceaux et réservez-les sur une assiette à part.

3. Ajoutez dans la cocotte l'oignon, le poivron rouge, et éventuellement le piment de Cayenne. Salez et poivrez légèrement. Faites revenir pendant 6 minutes en remuant : les légumes doivent être tendres. Versez le riz et mélangez, pendant 1 à 2 minutes, puis incorporez le vin au safran et laissez mijoter en remuant jusqu'à l'évaporation du jus. Ajoutez ensuite le poulet à la préparation. Versez le bouillon et portez à ébullition. Salez et poivrez généreusement, en fonction du goût du bouillon, et faites bouillir jusqu'à ce que le jus ait réduit suffisamment et qu'il soit au même niveau que le riz.

4. Répartissez les crevettes, les moules et les palourdes sur le riz. Remuez jusqu'à ce que l'ensemble soit mélangé uniformément, puis réduisez le feu. Couvrez et laissez cuire 15 minutes jusqu'à ce que le riz soit tendre et qu'il ait absorbé tout le bouillon.

5. Parsemez le riz de petits pois, incorporez-les bien, et servez sans attendre en prenant soin de servir un peu de chaque ingrédient dans les assiettes.

# Poulet et riz à la mexicaine

Le mélange de curcuma et de sauce tomate donne à ce plat un éclat orange tout à fait étonnant. Et tant que j'y pense, évitez le riz long grain, qui cuit parfois de façon inégale.

RECETTE POUR 4 PERSONNES
TEMPS DE PRÉPARATION : 12 MIN
TEMPS DE CUISSON : 50 MIN

**1 poulet de 1,6 kg, coupé en 8 morceaux**
**Sel et poivre noir du moulin**
**2 cuill. à soupe d'huile végétale**
**1 gros oignon finement haché**
**2 gousses d'ail finement hachées**
**1 cuill. à café de curcuma**
**12 cl de vin blanc sec**
**75 cl de *Bouillon de poulet maison* (voir recette p. 37) ou de bouillon de volaille en cube**
**1 boîte de 230 ml de sauce tomate épicée**
**1 feuille de laurier**
**150 g de petits pois surgelés (pas des extrafins)**
**75 g de piments en boîte macérés, égouttés et hachés**
**370 à 400 g de riz blanc**

**1.** Salez et poivrez généreusement les morceaux de poulet. Faites chauffer l'huile à feu moyen dans une grosse cocotte, jusqu'à ce qu'elle crépite. Disposez-y les morceaux côté peau. Laissez cuire pendant 15 minutes, tout en remuant. Ils doivent être dorés de tous côtés. Réservez ensuite sur une assiette.

FAITES REVENIR LE POULET DOUCEMENT ET UNIFORMÉMENT. UNE FOIS BIEN DORÉ, IL DOIT ÊTRE À MOITIÉ CUIT. S'IL COLORE TROP VITE, RÉDUISEZ LE FEU.

**2.** Ne conservez que l'équivalent de 2 cuillères à soupe de la graisse contenue dans la cocotte. Ajoutez l'oignon, l'ail et le curcuma. Faites revenir pendant 6 minutes tout en remuant. Versez le vin blanc et portez à ébullition, en raclant bien le fond du plat. Ajoutez le bouillon, la sauce tomate et le laurier. Replacez ensuite les morceaux de poulet dans la cocotte, puis incorporez les petits pois, les piments et enfin le riz. Amenez à ébullition, puis réduisez le feu de façon à obtenir un léger frémissement. Couvrez et laissez cuire 25 minutes. Le riz doit être tendre et le poulet cuit à cœur. Remuez une nouvelle fois, couvrez et réservez 5 minutes avant de servir.

# LA LISTE DE COURSES DE GABRIELLE

*Chère Xiao-Mei,*
*Merci d'acheter :*

*Indispensables*

- *Bain moussant*
- *Bougies parfumées*
- *Magazines people*
- *Glaçons*
- *Dom Pérignon*
- *Crème fouettée*
- *Préservatifs*
- *Merlot (2 bouteilles)*
- *Tequila Añejo (vieille)*

*S'il vous reste du temps :*

- *Gâteau de crabe*
- *Tortillas chips*
- *Sauce salsa*
- *Avocats*
- *Filet mignon*
- *Crevettes à cocktail*
- *Polenta*
- *Bruschetta*
- *Baguette*
- *Pain français*
- *Piments habaneros*
- *Piments jalapeños*
- *Barres énergétiques*
- *Ingrédients pour smoothies*
- *Lait de soja*
- *Protéines en sachet*
- *Céréales*
- *Jus d'orange frais*
- *Œufs*
- *Bacon*
- *Tamales surgelés*
- *Viande de bœuf marinée*
- *Tortillas de maïs*
- *Oignons*
- *Longe de porc*
- *Cumin*
- *Poivrons*
- *Sauce chili piquante*
- *Haricots noirs*
- *Riz blanc*

# Tamales

Les tamales sont faciles à réaliser, mais leur préparation demande un peu de temps. Si vous enrôlez votre bonne, les choses iront bien plus vite. C'est aussi un bon moyen pour garder un œil sur elle...

RECETTE POUR 12 TAMALES
(VOUS POUVEZ MULTIPLIER LES PROPORTIONS)
TEMPS DE PRÉPARATION : 40 MIN
TEMPS DE CUISSON : 6 MIN LE POULET / 1 H LES TAMALES

**Environ 15 feuilles d'épis de maïs séchées (voir note p. 149)**
**Sauce au piment fort (facultatif)**

**POUR LA *MASA* («LA PÂTE», EN MEXICAIN)**

**350 g de farine de maïs (marque Maseca, voir note p. 149)**
**1 cuill. ½ à café de sel (un peu moins si vous utilisez du bouillon en cube)**
**½ cuill. à café de levure**
**50 cl de *Bouillon de poulet maison* (voir recette p. 37) ou de bouillon de volaille en cube**
**20 cl d'huile végétale**

**POUR LA GARNITURE AU POULET**

**2 cuill. à soupe d'huile végétale**
**1 petit oignon jaune, coupé en dés de 1 cm (100 g)**
**3 cuill. à soupe de piments en boîte ou 2 piments serrano, sans les pédoncules, épépinés et finement hachés**
**150 g de morceaux de poulet ou de dinde cuits, finement hachés**
**Sel**

**1.** Préparez les feuilles de maïs : séchées, elles sont en général plates à une extrémité et pointues du côté opposé. Celles qui mesurent environ 20 centimètres sont idéales. Les enveloppes les plus larges peuvent être taillées (il faut d'abord les faire tremper, afin de les ramollir), et les plus petites peuvent se chevaucher pour atteindre la surface désirée. Froissez-les afin de les séparer un peu et placez-les dans un grand saladier. Recouvrez-les ensuite complètement d'eau tiède et maintenez-les sous l'eau avec une assiette afin de les empêcher de remonter à la surface. Laissez tremper environ 1 heure, jusqu'à ce qu'elles soient bien assouplies.

▶▶

2. Préparez la masa : versez la farine de maïs, le sel et la levure dans le bol du mixeur. Dans une petite casserole, faites réchauffer le bouillon à feu doux jusqu'à ce que le liquide soit fumant. Retirez du feu et ajoutez l'huile tout en remuant. Versez le mélange obtenu dans le mixeur et mélangez à faible vitesse, pendant 3 minutes, jusqu'à ce que la préparation soit onctueuse et légèrement satinée. (Vous pouvez aussi réaliser la pâte à la main : versez les ingrédients secs et liquides dans un grand saladier et mélangez-les avec une spatule en bois. Battez énergiquement jusqu'à ce que le mélange soit onctueux et satiné, ou que votre bras vous abandonne !) Réservez le temps de confectionner la garniture au poulet.

3. Préparez la garniture au poulet : faites chauffer l'huile à feu modéré dans une poêle de taille moyenne jusqu'à ce qu'elle crépite. Mettez-y l'oignon et laissez revenir pendant 5 minutes tout en remuant. Ajoutez les piments et faites cuire 1 minute ou 2, jusqu'à ce que l'oignon soit doré. Versez le mélange à l'aide d'une spatule dans le robot, placez-y le poulet et mixez bien. Salez selon votre goût.

4. Préparez les tamales : Coupez une douzaine de morceaux de ficelle de cuisine de 25 centimètres de long. Égouttez les enveloppes de maïs. Étalez-en une sur le plan de travail. Versez une louche de pâte (plus pour une grande feuille, moins pour une plus petite) pour former un rectangle de 7 x 5 centimètres au centre. Avec votre pouce, creusez une empreinte profonde dans la pâte et remplissez-la de farce au poulet. Repliez les 2 extrémités de l'enveloppe sur la farce, puis les côtés afin d'obtenir un paquet compact. Ne serrez pas trop les paquets, ils vont gonfler à la cuisson. Enroulez la ficelle autour de chacun pour maintenir les extrémités en place, puis réservez. Lorsque vous aurez pris le pli, vous pourrez en farcir plusieurs en même temps pour gagner du temps.

5. Préchauffez votre cuit-vapeur (reportez-vous à l'encadré p. 150). Alignez les tamales en une seule couche et laissez-les cuire pendant 1 heure, jusqu'à ce que la farce soit bien cuite à cœur. Vérifiez le niveau d'eau dans le cuit-vapeur à plusieurs reprises pendant la cuisson, et rajoutez-en si nécessaire.

6. Pour servir : placez les tamales sur un plat de service. Laissez vos invités se servir et ouvrir leurs tamales eux-mêmes. Servez la sauce au piment à part.

**Notes :** Vous pouvez vous procurer les feuilles de maïs déjà prêtes dans les magasins spécialisés en cuisine mexicaine, mais aussi *via* Internet (voir les Sources p. 266). La masa (pâte) est un terme à double sens, même pour nous hispaniques. Il peut désigner la farine (grain moulu) ou bien une pâte réalisée à partir de cette farine. Prenez soin d'utiliser de la farine de maïs moulue spéciale tamales, la « farine nixtamalisée », et non pas de la fécule de maïs (Maïzena, par exemple). La première contient un peu de chaux, un ingrédient indispensable pour réaliser une farce légère et moelleuse.

## Le cuit-vapeur

De nombreuses sortes de cuit-vapeur sont disponibles en grandes surfaces ou dans les boutiques spécialisées en articles de cuisine. Il existe toute une gamme de prix. Les articles les moins onéreux restent les paniers de bambou (que vous pouvez vous procurer dans la plupart des magasins asiatiques), ou encore le panier en acier inoxydable adaptable sur des cocottes peu profondes ou de grandes casseroles. Portez votre choix sur un modèle qui s'encastrera parfaitement sur votre plus grand wok ou votre plus grande casserole.

Quel que soit le modèle utilisé, la méthode reste la même. Placez votre cuit-vapeur au-dessus de l'eau bouillante (en prenant garde de ne pas immerger le fond) et assurez-vous que le couvercle du récipient dans lequel il est placé ferme hermétiquement. Versez les aliments à cuire dans le cuit-vapeur, si possible en une seule couche, puis couvrez. Lorsque vous devez laisser mijoter votre plat un certain temps (comme c'est le cas pour les tamales), vérifiez que l'eau ne s'évapore pas à la longue.

# Riz aux herbes

Voici une façon originale et exotique d'accommoder des ingrédients aussi basiques que du persil, des fanes de coriandre ou encore des oignons nouveaux. La texture de ce riz appétissant est crémeuse à souhait. Sa saveur se marie aussi bien avec un curry qu'avec des côtes de porc grillées.

RECETTE POUR 6 PERSONNES
TEMPS DE PRÉPARATION : 12 MIN
TEMPS DE CUISSON : 20 MIN

**50 cl de *Bouillon de poulet maison* (voir recette p. 37) ou de bouillon de volaille en cube**

**30 g de persil plat**

**4 oignons nouveaux sans leurs racines, les blancs émincés en tranches de 1,5 cm et le vert grossièrement haché**

**15 g de coriandre fraîche**

**2 cuill. à soupe de beurre doux (30 g)**

**370 g de riz long grain**

**1 boîte de lait de coco de 400 ml, sucré ou non (disponible dans les supermarchés ; voir aussi les Sources p. 266)**

**Sel**

1. Versez 25 centilitres de bouillon dans le bol de votre robot. Ajoutez le persil, le vert des oignons et la coriandre, puis mixez à faible vitesse jusqu'à ce que le liquide devienne vert vif et que l'ensemble soit bien homogène. Versez dans un récipient et ajoutez le bouillon restant.

2. Dans une casserole de 2 litres, faites fondre le beurre à feu modéré. Ajoutez les blancs des oignons et laissez revenir pendant 3 minutes tout en remuant, jusqu'à ce qu'ils aient pris une belle coloration dorée. Incorporez le riz et remuez jusqu'à ce qu'il soit bien imprégné de beurre. Versez le bouillon préparé ainsi que le lait de coco, et portez à ébullition. Salez et réduisez ensuite le feu. Couvrez et laissez mijoter à feu modéré pendant environ 18 minutes, jusqu'à ce que le riz soit cuit à point. Retirez alors du feu et laissez refroidir 3 minutes à couvert. Mélangez à la fourchette et servez.

# Chocolat chaud à la mode mexicaine

Au Mexique – le pays natal des boissons chocolatées –, on trouve un merveilleux chocolat en poudre, parfumé à la cannelle. La marque la plus connue est Ibarra, qui le propose dans une boîte très colorée de forme hexagonale (voir aussi les Sources p. 266).

Chez moi, on se sert d'un ustensile spécial, en bois – le molinillo, qui veut dire moussoir – pour faire mousser le chocolat dans la tasse. Cet objet comporte un ou plusieurs anneaux maintenus en place sur un long manche par deux boules dentelées et décorées. Il suffit de le plonger dans votre tasse de chocolat et de le faire tourner entre vos paumes pour obtenir une mousse onctueuse. Vous pouvez aussi vous servir d'un fouet en métal ou d'un batteur électrique, le résultat sera tout à fait satisfaisant.

POUR 1 TASSE
TEMPS DE PRÉPARATION : 5 MIN

**45 g de chocolat noir ou 3 cuill. à soupe de chocolat en poudre mexicain, parfumé à la cannelle (voir les Sources p. 266)**

**25 cl de lait**

**¼ de cuillerée à café de cannelle (facultatif et seulement si vous utilisez du chocolat noir ordinaire, en morceaux)**

Coupez le chocolat en morceaux en suivant les rainures. Versez le lait dans une casserole et ajoutez le chocolat. Faites chauffer à feu vif, jusqu'à ce que le chocolat soit ramolli et le lait fumant. Ajoutez ¼ de cuillerée à café de cannelle. Fouettez ensuite à la main (ou mixez au batteur électrique) : le chocolat doit avoir complètement fondu et le liquide être bien mousseux. Versez dans une tasse et dégustez sans attendre.

# Bloody Marias à la mexicaine

Voici ma version personnelle du traditionnel Bloody Mary, une boisson que j'adore. Elle est parfaite pour un week-end de détente, un dîner entre amis. Mais si vous le préparez pour un rendez-vous galant clandestin, prenez soin de bien tout nettoyer après, car les ingrédients peuvent laisser des traces...

RECETTE POUR 8 COCKTAILS
TEMPS DE PRÉPARATION : 8 MIN

**POUR LE MÉLANGE**

**1 l de jus de tomate ou de cocktail de jus de légumes**
**3 cuill. à soupe de jus de citron vert**
**3 cuill. à soupe de raifort (condiment cuisiné)**
**2 cuill. à café de sauce Worcestershire**
**1 cuill. à café de sauce au piment rouge (type Tabasco)**
**1 cuill. ½ à café de graines de céleri grillées et moulues (voir l'encadré ci-dessous) ou 1 cuill. à café de sel de céleri**
**Jus de cuisson de la *Sauce salsa* (voir recette p. 167), facultatif mais très approprié ici**

**POUR LE COCKTAIL**

**Glaçons**
**4 à 6 cl de tequila**
**18 cl de votre mélange pour bloody marias**
**Quelques branches de céleri de taille moyenne avec leurs feuilles, ébarbées, lavées et coupées en 2 dans le sens de la longueur**

1. Préparez le mélange : versez les ingrédients dans un pichet suffisamment grand pour les contenir tous, puis remuez bien avant de placer au réfrigérateur.

2. Pour un verre : remplissez un verre de glaçons et versez la tequila. Ajoutez le mélange et plantez une branche de céleri ou un bâtonnet de concombre.

Astuce : faites griller les graines de céleri à feu doux dans une petite poêle. Laissez refroidir et mixez ensuite jusqu'à l'obtention d'une poudre. Vous le constaterez, la différence de goût est incomparable avec le sel de céleri du commerce.

## Petit plaisir solitaire

Au risque de vous décevoir, sachez qu'un des péchés mignons de Gabrielle est une gourmandise qu'elle a découverte en Caroline du Sud. Il s'agit d'un en-cas typiquement américain. Rien d'hispanique ni de mexicain là-dedans. Aucun exotisme. C'est pourtant un plat tout à fait étonnant, bien que manquant certainement de sensualité… Les cacahuètes bouillies.

Cette spécialité régionale vous surprendra, car elle ne ressemble à rien de ce que vous avez pu goûter jusqu'ici. Dans le sud des États-Unis, tous les restaurants proposent ces fameuses cacahuètes. Mais pour déguster la recette authentique, il faut aller faire un tour chez les habitants des deux Caroline.

Les cacahuètes sont bouillies dans leurs coques, avec beaucoup de sel. Elles prennent alors un goût qui ressemble à celui de l'edamame (des fèves de soja, pour ceux qui ne connaissent pas la cuisine japonaise). Car sachez-le, les cacahuètes sont des légumes secs, comme les pois et les haricots !

# Mrs. O'Leary

Depuis plus de cent trente ans, l'opinion populaire américaine reste persuadée que c'est la vache d'une certaine Mrs O'Leary qui provoqua le célèbre incendie de Chicago à la fin du XIXe siècle. Il n'existe pourtant aucun indice matériel de la culpabilité de cette brave femme. Restent les faits : le soir du 8 octobre 1871, le feu se déclara dans une rue de Chicago appelée DeKoven Street. Il se propagea très vite et détruisit une grande partie de la ville. Cet événement, connu sous le nom de Grand incendie de Chicago, causa la mort de plus de 300 personnes, détruisit plus de 17 000 habitations et quelque 1 000 hectares de terre.

La rumeur partit d'un article paru dans le *Chicago Evening Journal*, désignant un bovidé répondant au doux nom de Daisy comme étant à l'origine du sinistre. Au moment de la traite, la fameuse Daisy aurait renversé d'un coup de sabot une lampe qui se trouvait dans l'étable. Pour une raison inexpliquée, cette histoire colla toute sa vie à la peau de cette pauvre Mrs O'Leary, propriétaire de ladite vache, qui devint par la même occasion une femme authentiquement désespérée.

En dépit de témoignages plaidant en faveur de son innocence et des nombreuses conditions qui contribuèrent à aggraver les terribles dégâts infligés à la ville de Chicago (sécheresse inhabituelle, lances d'incendie défectueuses, charpentes des maisons en bois...), Mrs O'Leary porta le chapeau et fut désignée comme l'unique responsable de cet incendie dévastateur. Le fait que cette légende ait la vie aussi dure est peut-être lié au fait que l'on pouvait indifféremment imprimer à notre fermière toutes les personnalités, même les plus contradictoires. Les gens la décrivirent tour à tour comme une femme vieille et usée, jolie et travailleuse, revêche et corpulente... sans se soucier aucunement de la véritable identité de Catherine O'Leary, qui n'intéressa jamais personne.

Plus d'un siècle après les événements, Mrs O'Leary demeure le bouc émissaire de cette terrible tragédie. Comme en témoignent le film *L'Incendie de Chicago*, sorti en 1937, ou, plus récemment, la chanson de Brian Wilson sobrement intitulée *Mrs O'Leary's Cow*, sa culpabilité est enracinée dans les esprits. Mrs O'Leary s'est pourtant défendue de ces accusations jusque sur son lit de mort en 1885, arguant du fait que son mari et elle-même étaient couchés lorsque le feu se déclara, et qu'ils ne pouvaient donc pas se trouver dans l'étable. Espérons en tout cas que la vache Daisy ne tenait pas la chandelle !

# Crème renversée à la liqueur de Mrs O'Leary

RECETTE POUR 4 PERSONNES
TEMPS DE PRÉPARATION : 10 MIN
TEMPS DE CUISSON : 35 MIN

2 gros œufs entiers + 2 jaunes
70 g de sucre
2 cuill. à soupe de crème de whisky Bailey's
¼ de cuill. à café de sel
230 g de crème fraîche épaisse
35 cl de lait (ou 60 cl, si vous n'utilisez pas de crème fraîche)

1. Placez la grille à mi-hauteur de votre four et préchauffez celui-ci à 160 °C (th. 5/6). Faites bouillir 1 litre d'eau dans votre bouilloire.

2. Dans un récipient, battez au fouet les œufs entiers, les jaunes, le sucre, le Bailey's et le sel. Ne mélangez pas trop. Incorporez petit à petit la crème et le lait (ou juste du lait, mais en quantité plus importante), sans cesser de remuer, et ce, jusqu'à ce que le sucre soit totalement dissous.

3. Répartissez le mélange obtenu dans 4 ramequins de 240 millilitres. Placez-les dans un plat de cuisson suffisamment grand pour les contenir tous ensemble. Mettez le plat au four et versez de l'eau bouillante de façon à ce que les ramequins soient immergés jusqu'à mi-hauteur. Laissez cuire 35 minutes ; le milieu de la crème doit bouger (sur environ 2 centimètres) lorsque vous remuez les ramequins. Le centre de votre crème peut vous sembler presque liquide, mais il durcira en refroidissant.

4. Sortez le plat du four et laissez refroidir les crèmes dans le bain-marie à température ambiante. Lorsqu'elles sont froides, mettez-les au réfrigérateur jusqu'à ce qu'elles soient bien prises, ce qui prendra au moins 4 heures. Vous pouvez les conserver 2 jours avant de les déguster.

# Recettes diététiques

Lorsque j'étais mannequin, j'ai appris à suivre un régime très équilibré. Voici quelques-unes des recettes que j'appréciais tout particulièrement à l'époque.

## Salade de fruits nappée de yaourt au miel

Les fruits épluchés et coupés en morceaux sont disponibles dans la plupart des supermarchés aux États-Unis. Si vous en trouvez en France, la préparation de cette salade ne vous prendra que 5 minutes…

RECETTE POUR 6 PERSONNES
TEMPS DE PRÉPARATION : 15 MIN

**POUR LA SALADE (SÉLECTIONNEZ 3 INGRÉDIENTS PARMI LA LISTE CI-DESSOUS)**

**1 papaye mûre, épluchée et tranchée en morceaux de 2 cm (env. 300 g)**
**300 g d'ananas, coupé en morceaux de 2 cm**
**500 g de fraises, équeutées et coupées en 2 si elles sont grosses**
**300 g de melon d'hiver ou de melon à chair verte, coupé en morceaux de 2 cm**
**350 g de mandarines, épluchées et détaillées en quartiers**
**4 kiwis, épluchés et débités en tranches de 1 cm**

**POUR L'ASSAISONNEMENT**

**250 g de yaourt à la vanille**
**6 cl de jus d'orange**
**1 cuill. ½ à soupe de miel**
**1 cuill. à soupe de graines de pavot**
**Amandes effilées et grillées (voir la recette de Félicia, p. 251)**

1. Mélangez avec précaution 3 variétés de fruits dans un saladier. Dans un autre récipient, fouettez le yaourt, le jus d'orange, le miel et les graines de pavot, jusqu'à ce que le mélange soit bien homogène.
2. Dressez les fruits dans les assiettes. Versez un filet de sauce par-dessus et parsemez d'amandes effilées.

# Poulet sauté à l'aigre-douce

Un conseil : pesez et préparez les ingrédients à l'avance. La réalisation de ce plat est ensuite si rapide que vous pouvez faire cuire le riz avant même de commencer à cuisiner votre sauté.

RECETTE POUR 2 PERSONNES
TEMPS DE PRÉPARATION : 11 MIN
TEMPS DE CUISSON : 13 MIN

**3 cuill. à soupe de jus d'orange**
**1 cuill. à soupe de sauce soja**
**1 cuill. à café de sucre**
**350 g de blanc de poulet, sans peau, émincé en lamelles de 1 cm de largeur**
**1 cuill. à café d'huile de sésame chaude (facultatif)**
**1 cuill. à café d'huile végétale**
**3 oignons nouveaux, sans leurs racines, finement émincés**
**1 cuill. à soupe de gingembre frais haché**
**3 gousses d'ail hachées**
**1 branche de céleri, épluchée et coupée de biais en morceaux de 1 cm (env. 60 g)**
**100 g de pois mange-tout, équeutés et coupés en 2**

1. Mélangez le jus d'orange, la sauce soja et le sucre dans un petit bol jusqu'à dissolution du sucre. Essuyez les lamelles de poulet dans du papier absorbant. Si vous utilisez l'huile de sésame, versez-la dans un autre bol et imprégnez-en le poulet.

2. Dans une grande sauteuse (31 centimètres de diamètre) antiadhésive, faites chauffer l'huile à feu vif jusqu'à ce qu'elle crépite. Ajoutez les oignons, le gingembre et l'ail, et faites-les revenir, tout en remuant, jusqu'à ce que l'ail dégage son arôme. Incorporez alors les morceaux de poulet et laissez-les environ 2 minutes afin qu'ils soient légèrement dorés de toutes parts. Il ne vous reste plus qu'à ajouter le céleri ainsi que les pois mange-tout et à les faire cuire, toujours en remuant, jusqu'à ce que les pois aient pris une coloration vert vif.

3. Versez ensuite la préparation à base de sauce soja dans la sauteuse et portez à ébullition. Tout en surveillant, laissez mijoter, jusqu'à ce que la sauce ait bien réduit et qu'elle forme un glaçage suffisamment épais pour recouvrir le poulet et les légumes. Servez sans attendre.

# Curry de poulet (ou de crevettes)

Si vous optez pour la version « crevettes », ne laissez revenir les crevettes que 3 minutes (au lieu des 4 requises) puis, une fois que vous aurez ajouté le bouillon, laissez-les cuire moins longtemps, pour qu'elles ne perdent pas tout leur arôme.

RECETTE POUR 2 PERSONNES
TEMPS DE PRÉPARATION : 12 MIN SI POULET / + 8 MIN SI CREVETTES
TEMPS DE CUISSON : 10 À 15 MIN

**3 oignons nouveaux, sans leurs racines et émincés en lamelles de 5 cm de long**
**2 gousses d'ail**
**3 petites tranches de gingembre frais, pelé**
**1 piment (vous pouvez le choisir peu, moyennement ou très épicé : *jalapeño*, *serrano* ou *habanero*) coupé en 2, sans la tige, le cœur et les pépins**
**350 g de blanc de poulet sans la peau, coupé en morceaux de 4 cm, ou 350 g de grosses crevettes, décortiquées et dénervées (env. 16 pièces)**
**Sel et poivre noir du moulin**
**Farine tous usages**
**2 cuill. à soupe d'huile végétale**
**1 gros oignon jaune, finement émincé**
**1 poivron rouge de taille moyenne et coupé en très fines lanières**
**1 cuill. à soupe de curry en poudre**
**12 cl de *Bouillon de poulet maison* (voir recette p. 37) ou de bouillon de volaille en cube**
**6 cl de lait de coco, sucré ou non (en supermarchés + voir les Sources p. 266)**

1. Dans un robot, mettez les oignons nouveaux, l'ail, le gingembre et le piment. Mixez bien, puis transvasez le mélange dans un bol et réservez.

2. Salez et poivrez les blancs de poulet. Étalez un peu de farine dans une assiette et enrobez bien les morceaux. Tapotez-les ensuite pour ôter l'excédent de farine, puis placez-les sur une assiette propre.

3. Dans une grande sauteuse antiadhésive, faites chauffer l'huile à feu vif. Faites dorer les morceaux de poulet pendant 4 minutes avant d'incorporez la préparation au piment. Saupoudrez de curry et laissez cuire pendant 2 minutes tout en remuant, jusqu'à ce que l'oignon et le poivron deviennent tendres. Versez alors le bouillon et le lait de coco. Portez à ébullition et laissez encore cuire 2 minutes. Il faut que le poulet soit bien cuit et que la sauce ait épaissi. Servez sans attendre.

# Crevettes au chorizo et au poivron

Le chorizo peut être plus ou moins épicé. La plupart sont déjà cuits à cœur et il suffit de les passer à la poêle pour les déguster. Cela ajoute de la couleur, de la saveur et un peu de piment à cette recette toute simple. Accompagnez de riz blanc ou de *Riz aux herbes* (voir recette p. 151), et mettez-vous à table 20 minutes plus tard !

RECETTE POUR 2 PERSONNES
(VOUS POUVEZ DOUBLER LES PROPORTIONS)
TEMPS DE PRÉPARATION : 20 MIN
TEMPS DE CUISSON : 8 MIN

**1 petit poivron rouge ou jaune**
**2 cuill. à soupe d'huile d'olive**
**3 gousses d'ail émincées**
**1 chorizo (env. 100 g), plus ou moins épicé et coupé en rondelles de 1 cm**
**16 grosses crevettes sans la queue ni la tête et décortiquées (env. 350 g)**
**3 cuill. à soupe de xérès ou de vin blanc sec**
**1 grosse tomate, pelée, épépinée et coupée en dés (voir p. 48)**
**3 oignons nouveaux sans leurs racines, émincés en lamelles de 1 cm**
**2 cuill. à soupe de persil plat (ou de coriandre ou de ciboulette) haché**
**1 cuill. à soupe de beurre (facultatif)**

1. Coupez le poivron en très fines lamelles et réservez.
2. Faites chauffer l'huile à feu moyen dans une sauteuse jusqu'à ce qu'elle crépite. Faites revenir l'ail. Ajoutez le chorizo et continuez à remuer pendant 3 minutes ; l'huile doit prendre une teinte orangée à son contact.
3. Augmentez ensuite le feu et mettez les crevettes et le poivron dans la sauteuse. Faites cuire pendant 3 minutes en remuant, afin que les crevettes deviennent rose vif et grésillent. Si des petits bouts attachent au fond, ils doivent être dorés mais pas brûlés.
4. Versez alors le vin, réduisez le feu et laissez mijoter 2 minutes. Le vin doit être en grande partie évaporé et les crevettes cuites à cœur. Il ne vous reste plus qu'à ajouter les tomates, les oignons nouveaux et l'herbe de votre choix, puis à bien remuer. Retirez du feu et amalgamez le beurre. Servez sans attendre.

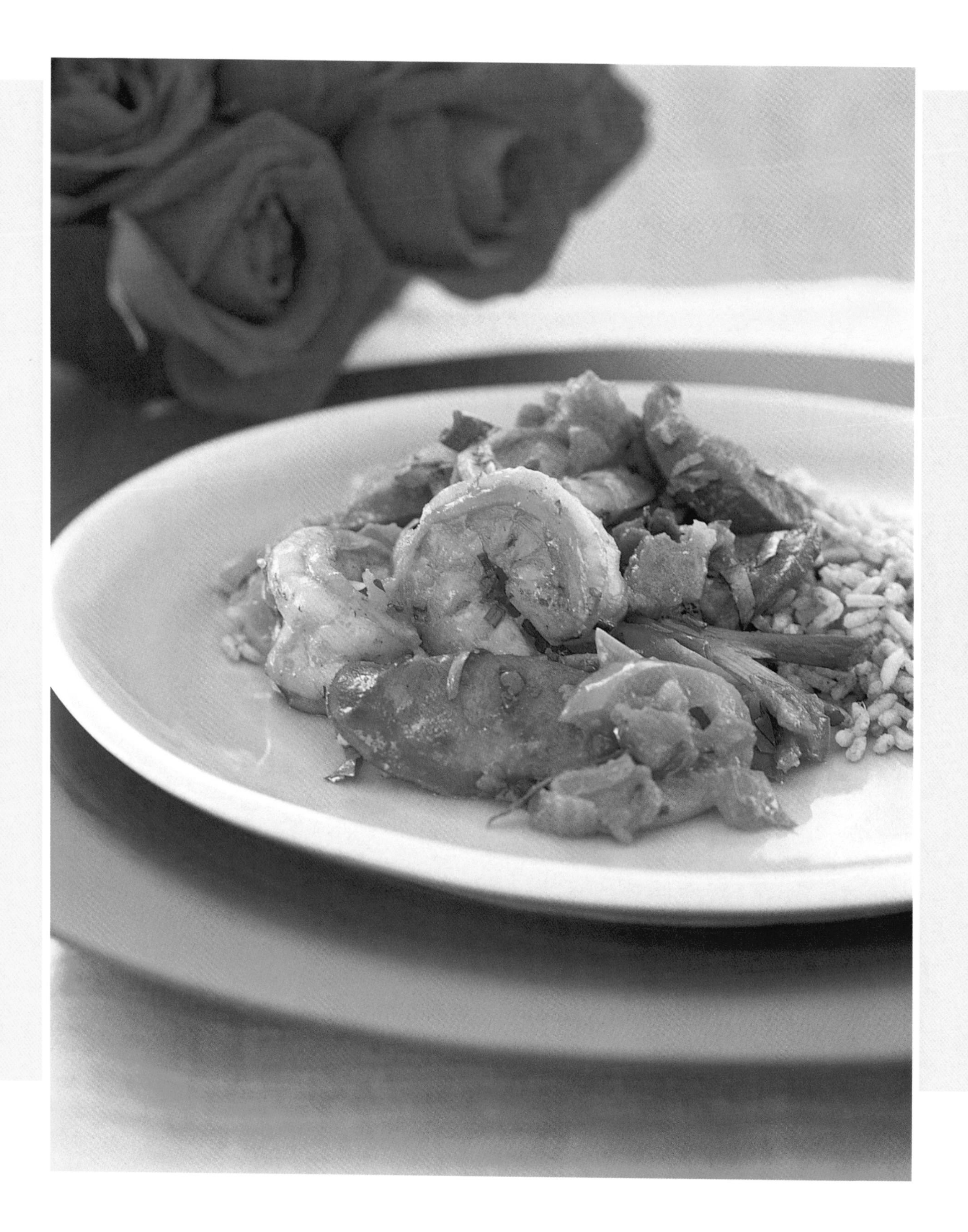

# Penne à la sauce vodka épicée

Cette recette est un grand classique des restaurants du monde entier, mais on peut également la préparer facilement chez soi. Je modernise ce plat en y ajoutant de la purée de piment pour le piquant, et du basilic pour la fraîcheur. Délicieux avec des penne rigate (comme les pâtes sont striées, elles accrochent mieux la sauce), c'est aussi très bon avec des penne ordinaires (lisses).

RECETTE POUR 4 PERSONNES.
TEMPS DE PRÉPARATION : 12 MIN
TEMPS DE CUISSON : 15 MIN

LE COULIS DE TOMATES SE RAPPROCHE DAVANTAGE DU GOÛT DE LA TOMATE FRAÎCHE. SI VOUS NE POUVEZ PAS VOUS PROCURER DE COULIS, AJOUTEZ SIMPLEMENT 12 CL D'EAU À 250 G DE PURÉE DE TOMATES.

**Sel**
**2 cuill. à soupe d'huile d'olive**
**2 gousses d'ail émincées**
**½ cuill. à café (ou moins) de purée de piment**
**12 cl de vodka**
**300 g de coulis de tomates**
**120 g de crème légère**
**350 g de penne rigate ou de penne ordinaires**
**12 grandes feuilles de basilic, émincées en fines lamelles**
**50 g de parmesan râpé**
**200 g de mozzarella, coupée en dés de 1 cm (facultatif)**

**1.** Dans une grande casserole ou un faitout, mettez de l'eau salée à bouillir.

**2.** Pendant ce temps, faites chauffer l'huile d'olive dans une grande sauteuse. Jetez-y l'ail et le piment et faites-les revenir tout en remuant, jusqu'à ce que l'ail dégage ses arômes. Retirez du feu, puis versez la vodka avec précaution car, même hors du feu, cela peut s'enflammer. Lorsque la vodka a cessé de frémir, remettez sur le feu et ajoutez le coulis de tomates, en mélangeant bien. Saupoudrez de sel. Portez à faible ébullition, puis laissez mijoter 5 minutes. (Vous pouvez préparer cette sauce 2 jours à l'avance. Conservez au réfrigérateur et réchauffez-la à petits bouillons avant de poursuivre la recette.) Éteignez le feu, versez la crème et mélangez le tout.

3. Plongez ensuite les pâtes dans l'eau bouillante. Faites-les cuire en remuant de temps en temps, jusqu'à ce qu'elles soient tendres mais encore fermes. Conservez 12 centilitres d'eau de cuisson avant d'égoutter les pâtes.

4. Remettez les pâtes dans la casserole, versez la sauce et ajoutez le basilic. Réchauffez à feu doux en remuant. S'il le faut, ajoutez un peu d'eau de cuisson pour délayer la sauce afin qu'elle enrobe bien les pâtes. Goûtez et rectifiez au besoin l'assaisonnement. Retirez ensuite du feu et incorporez le parmesan ainsi que la mozzarella (si vous le souhaitez). Servez dans un plat ou dans des assiettes creuses que vous aurez préalablement réchauffées.

# Sauce salsa

La salsa est meilleure très fraîche, lorsqu'elle n'a pas été conservée au réfrigérateur. Cependant, il est possible de la préparer la veille. Si vous l'utilisez pour accompagner une volaille, une viande ou un poisson, vous pouvez garder son jus. Mais si vous la servez avec des tortillas chips, il faudra l'égoutter. Dans ce cas, réservez le jus pour d'autres recettes, comme les *Bloody Marias à la mexicaine* (voir recette p. 154), les sauces ou les soupes.

RECETTE POUR 500 G
TEMPS DE PRÉPARATION : 8 MIN

**350 g de tomates bien mûres**
**30 g d'oignon rouge émincé**
**15 g de coriandre fraîche, finement hachée**
**1 piment serrano moyen (ou 2 petits), sans le trognon, épépiné et finement haché**
**Sel**

1. Après en avoir retiré le trognon, retournez les tomates et détaillez-les en rondelles de 5 millimètres en partant du haut. Coupez les tranches obtenues en dés de 5 millimètres. Transvasez les tomates et leur jus dans un saladier, puis ajoutez l'oignon, la coriandre et le piment. Laissez macérer 30 minutes.

2. Vérifiez l'assaisonnement et rajoutez du sel si nécessaire. Vous n'avez plus qu'à égoutter la préparation ou à la laisser telle quelle : tout dépend de ce que vous en faites ! (Reportez-vous à ma note ci-dessus.)

# Bouchées d'ananas grillées et glacées au rhum

Utilisez au choix de l'ananas frais ou en boîte. Dans tous les cas, la préparation de ce dessert sans prétention est un jeu d'enfant. Nature ou parsemées de graines de sésame grillées, ces savoureuses bouchées accompagnent avantageusement de la glace à la vanille.

POUR 4 PERSONNES.
TEMPS DE PRÉPARATION : 8 MIN
TEMPS DE CUISSON : 25 MIN SOUS LE GRIL

**Huile végétale**
**450 g d'ananas épluché, débarrassé de la partie centrale dure et coupé en morceaux de 5 cm (ou au sirop, égouttés et coupés de la même manière)**
**2 cuill. à soupe de cassonade**
**1 cuill. à soupe de beurre fondu**
**1 cuill. à soupe de rhum (brun, de préférence)**

1. Placez une grille en position haute dans votre four et préchauffez celui-ci à 240 °C (th. 8). Huilez légèrement un plat allant au four de 20 x 26 centimètres.

2. Dans un saladier, mélangez intimement l'ananas, le sucre, le beurre et le rhum, jusqu'à ce que les morceaux d'ananas soient bien enrobés. Disposez-les en une couche uniforme dans le plat que vous avez préparé. En raclant bien avec une spatule, versez dessus le jus restant dans le saladier, et réservez celui-ci. Mettez alors votre plat au four pendant 25 minutes. Retournez 2 ou 3 fois les morceaux d'ananas pendant la cuisson, jusqu'à ce qu'ils soient nappés d'un glaçage bien doré. À l'aide de la spatule, reversez-les ensuite dans le saladier, de même que le glaçage restant dans le plat. Mélangez soigneusement de façon à ce que les bouchées en soient bien recouvertes. Servez chaud ou à température ambiante.

# Gâteau des anges au coulis de fraises épicé

Voici un dessert que l'on peut déguster sans culpabiliser. Ce « gâteau des anges », comme l'appellent joliment les Américains, est une génoise très légère passée sous le gril, que l'on accompagne d'un coulis de fraises sucré et légèrement épicé.

RECETTE POUR 4 PERSONNES
TEMPS DE PRÉPARATION : 8 MIN
TEMPS DE CUISSON : 2 MIN SOUS LE GRIL

**4 tranches de 1 cm d'épaisseur de génoise maison ou du supermarché**
**500 g de fraises bien mûres et juteuses**
**1 cuill. à soupe de sucre (plus ou moins, selon votre goût)**
**½ cuill. à café de jus de citron (plus ou moins, selon votre goût)**
**½ de cuill. à café de gingembre en poudre**
**3 tours de moulin de poivre noir**
**Beurre fondu (facultatif)**

1. Lavez rapidement les fraises puis égouttez-les et séchez-les avec du papier absorbant. Après en avoir ôté les queues, coupez-les en 4 au dessus d'un saladier. Ajoutez le sucre, le jus de citron, le gingembre et le poivre. Laissez reposer 1 heure ou 2 à température ambiante, en remuant de temps en temps. Goûtez et ajoutez du jus de citron et/ou du sucre, à votre convenance.

2. Pour servir : placez une grille à environ 15 centimètres du gril et allumez votre four à basse température. Disposez les tranches de génoise sur une plaque de cuisson et serrez-les bien afin qu'elles dorent uniformément. Vous pouvez éventuellement beurrer le dessus au pinceau. Laissez sous le gril pendant environ 2 minutes, jusqu'à ce qu'elles soient bien dorées. Retournez-les et répétez l'opération. Servez-les chaudes en les recouvrant de quelques cuillerées de fraises au sirop épicé et présentez le reste à part.

# Smoothie pêche-ananas

RECETTE POUR 1 GRAND VERRE OU 2 PLUS PETITS
TEMPS DE PRÉPARATION : 5 MIN

**250 g de quartiers de pêches encore congelées (détail capital !)**
**20 cl de jus d'ananas frais**
**12 cl de lait de soja nature (ou à la vanille)**
**½ cuill. à café d'extrait naturel de vanille (facultatif)**

Mixez dans un robot le jus d'ananas et les pêches à vitesse réduite, jusqu'à ce qu'elles soient finement hachées. Augmentez ensuite la vitesse, puis ajoutez le lait de soja et la vanille. Continuez à amalgamer jusqu'à ce que le mélange soit onctueux et que les pêches congelées forment un granité. Versez dans un verre préalablement placé au réfrigérateur, et dégustez immédiatement.

# Lynette

# Efficacité est le premier mot

qui vient à l'esprit pour décrire Lynette Scavo. Mère de quatre enfants et mariée au brave Tom, Lynette est une femme de caractère, intelligente et même brillante. Elle sait ce qu'elle veut et fait tout pour atteindre ses objectifs. Surtout quand il s'agit de gérer sa vie d'épouse et de mère. Chez les Scavo, les choses sont un brin compliquées. Femme d'affaires de premier ordre, Lynette a mis un temps sa carrière entre parenthèses pour élever ses enfants, puis retour à la case bureau dans le rôle de businesswoman doublée de mère de famille nombreuse. En chemin, Lynette oublie parfois de laisser sa rigueur au vestiaire quand elle rentre à la maison.

Dans la cuisine et le lit conjugal, même combat. D'une implacable efficacité en toutes circonstances, elle ne mâche pas ses mots et n'hésite pas à bousculer son monde à coups de commentaires directs – parfois un peu trop. Sa franchise, brute de décoffrage, fait d'ailleurs de Lynette une amie inestimable pour ses voisines de Wisteria Lane. Car il n'y a qu'elle pour les interpeller aussi crûment au sujet de leurs faiblesses et de leurs erreurs, quitte parfois à s'attirer leurs foudres. (Elle fut la première à confronter Bree à son alcoolisme, à une époque où Bree elle-même ne voulait pas admettre son problème).

Lynette doit jongler à longueur de journée entre ses innombrables responsabilités : elle gère d'une main de fer les grands comptes de l'agence de pub qui l'emploie, fait le tampon entre sa direction et son subordonné de mari et trouve encore le temps d'être une bonne mère pour Parker, Porter, Preston et Penny. Il va sans dire que ses occupations débordantes lui laissent peu de temps pour élaborer des

plats exotiques ou de la cuisine raffinée. Ces derniers temps, elle peut même s'estimer heureuse quand elle a l'occasion de préparer elle-même le repas du soir au lieu d'acheter des plats à emporter en sortant du bureau.

Comme la plupart des gens, ses objectifs sont avant tout d'ordre pratique. Elle veut que sa famille se nourrisse sainement, tout en étant parfaitement consciente de ne pas disposer du temps nécessaire pour leur offrir des repas de qualité chaque soir. Son choix se porte donc naturellement sur des plats qu'elle peut cuisiner la veille et réchauffer à la va-vite.

Pourtant, quand elle trouve le temps, Lynette adore confectionner ses recettes favorites, comme celle du *Poulet frit mariné au babeurre* qui lui vient de sa famille et qu'elle sert avec ses fameux *Choux de Bruxelles glacés au miel et à l'orange* (ceux que les enfants détestent).

Il lui arrive même de préparer un joli petit dîner romantique, de temps à autre. En fait, les rares fois où elle trouve matériellement le temps de se mettre aux fourneaux, c'est une discipline dans laquelle elle excelle, car elle y met toute la rigueur et le professionnalisme qui font sa réputation au bureau. Malheureusement, Tom n'a pas toujours su apprécier ses efforts à leur juste valeur (surtout quand Lynette restait à la maison et qu'il gagnait l'argent du ménage). Mais depuis qu'ils ont changé plusieurs fois de rôles, faisant chacun son tour l'expérience du parent au foyer et du soutien de famille, Tom a appris à mesurer sa chance.

Après une dure journée consacrée à ses quatre petits monstres ou à gravir les échelons de l'entreprise, la priorité de Lynette va sans conteste à l'efficacité. Vite fait bien fait, tel est son mot d'ordre quand il s'agit de préparer le dîner familial. Mais dans les grandes occasions, pour un dîner aux chandelles avec Tom, ou bien quand elle reçoit des clients, son sens du détail et son organisation sans failles font mouche à tous les coups.

# Recettes familiales

## Tout ce que vous avez toujours voulu savoir sur les croque-monsieur (mais que vous n'avez jamais eu le temps de demander)

Peu de gens savent préparer les croque-monsieur. Le secret d'un pain délicieusement croquant et d'un fromage parfaitement fondu : une cuisson longue et très lente. C'est le repas idéal pour ma petite famille, puisque tous les adorent.

RECETTE POUR 1 CROQUE-MONSIEUR
TEMPS DE PRÉPARATION : 2 MIN
TEMPS DE CUISSON : 8 À 10 MIN

**POUR 1 CROQUE-MONSIEUR**

**2 tranches de pain de mie complet ou blanc**

**3 tranches (env. 60 g) de fromage qui fond facilement : munster, cheddar ou toastinette**

**1 cuill. à soupe de beurre ramolli ou d'huile d'olive**

**GARNITURES AU CHOIX**

**3 tranches de bacon : faites-les revenir jusqu'à ce qu'elles soient bien croustillantes**

**3 rondelles de tomate (moins de 5 mm par rondelle)**

**2 fines tranches de jambon ou de dinde fumée**

Faites préchauffer une poêle en fonte à feu moyen. Préparez les croque-monsieur, en disposant une garniture de votre choix entre les tranches de fromage afin qu'elle ne soit pas au contact du pain.

**MÉTHODE AU BEURRE :**

Beurrez uniformément les 2 faces des croque-monsieur et placez-les ensuite dans la poêle : il doivent être à peine saisis. Faites griller jusqu'à ce qu'ils soient bien dorés et croustillants. Cela devrait prendre au moins 4 à 5 minutes. S'ils dorent trop vite, réduisez le feu. Retournez-les et répétez l'opération.

▶▶

MÉTHODE À L'HUILE D'OLIVE :

Versez l'huile dans la poêle ou sur une plaque de cuisson en quantité suffisante pour qu'elle forme une couche légère et uniforme. Faites griller les croque-monsieur comme précédemment, mais soulevez-les et rajoutez de l'huile avant de les retourner.

## Croque-monsieur à ma façon

Voici quelques idées originales pour varier vos croque-monsieur. Il suffit d'ajouter des herbes aromatiques sur le beurre de cuisson. Par exemple du persil pour un croque-monsieur classique, du basilic pour un croque-monsieur à la tomate, ou de la coriandre pour un croque-monsieur au Pepper Jack (fromage californien aux piments de la ville de Monterrey) et au poulet (voir plus bas).

RECETTE POUR 1 CROQUE-MONSIEUR
TEMPS DE PRÉPARATION : 4 MIN
TEMPS DE CUISSON : 8 À 10 MIN

### Fromage de chèvre et tomates séchées :

Battez bien 50 grammes de fromage de chèvre ramolli avec 2 cuillères à soupe de tomates séchées hachées finement, jusqu'à ce que le mélange soit onctueux. Poivrez abondamment au moulin. Étalez sur une tranche de pain, recouvrez d'une autre tranche.

### Gouda fumé et champignons :

Mélangez 65 grammes de gouda fumé râpé et 30 grammes de champignons cuits hachés grossièrement dans un petit bol. Garnissez-en généreusement une tranche de pain, puis recouvrez d'une autre branche.

### Pepper Jack (ou gouda jeune au poivre) et poulet :

Mélangez 65 grammes de fromage Pepper Jack et 50 grammes de poulet (ou de dinde) cuit, découpé en fines lamelles dans un bol. Répartissez-les sur une tranche de pain, recouvrez avec une autre tranche.

# Wraps à la dinde, au munster et au coleslaw

Les *wraps* sont de fines tortillas (ou pitas) garnies et roulées, puis découpées en tronçons. Il ne faut que quelques minutes pour les faire gratiner, mais cela en rehausse considérablement le goût. Vous pouvez aussi, si le temps vous manque, utiliser les wraps garnis du commerce.

RECETTE POUR 4 ENFANTS OU 2 ADULTES
TEMPS DE PRÉPARATION : 5 MIN
TEMPS DE CUISSON : 8 MIN

**2 grands wraps (env. 28 cm de diamètre) à la farine blanche complète**
**230 g de tranches de blanc de dinde fumée**
**120 g de fines tranches de munster**
**6 fines rondelles de tomate (facultatif)**
**2 cuill. à soupe de sauce barbecue du commerce**
**100 g de *Coleslaw facile ou superfacile* (voir recette p. 119)**
**Huile végétale**

1. Étalez les wraps bien à plat. Délimitez un carré au centre de chacun et recouvrez-le d'une couche régulière de dinde, puis de fromage. Si vous voulez, disposez les rondelles de tomate sur le fromage. Ajoutez la sauce barbecue au coleslaw en remuant bien, puis étalez-en une couche régulière sur les autres ingrédients. Repliez le bord inférieur du wrap sur la garniture, puis faites de même avec les 2 côtés. En partant du bas, roulez ensuite le wrap en formant un cylindre bien serré.

2. Recouvrez légèrement d'huile le fond d'une grande poêle en fonte et faites chauffer à feu doux. Placez les wraps dans la poêle, côté replié vers le fond. Laissez cuire environ 4 minutes, jusqu'à ce qu'ils soient légèrement dorés et croustillants. Retournez-les et répétez l'opération. Que vous les serviez chauds ou froids, coupez chaque wrap en 2 dans le sens de la largeur et en biais.

# Pain perdu au sirop de myrtille

Voici une version savoureuse de pain perdu qui aura un succès fou. Si vous êtes gourmande, vous pouvez augmenter le sucre dans le mélange avec les œufs et/ou dans le sirop de myrtille, ou encore saupoudrer de sucre glace avant de servir.

RECETTE POUR 2 PERSONNES
(ON PEUT FACILEMENT MULTIPLIER CETTE RECETTE PAR 2)
TEMPS DE PRÉPARATION : 2 + 6 MIN
TEMPS DE CUISSON : 10 + 7 MIN

**POUR LE SIROP DE MYRTILLE**

**1 sachet de 350 g de myrtilles surgelées**
**80 g de sucre glace**
**1 grosse pincée de cannelle en poudre**

**POUR LE PAIN PERDU**

**5 gros œufs**
**60 ml de lait**
**2 cuill. à soupe de sucre semoule**
**1 cuill. à café d'arôme naturel de vanille liquide**
**1 pincée de sel**
**6 tranches de 1 cm d'épaisseur de pain aux œufs comme la brioche ou la hallah (pain traditionnel juif ressemblant à de la brioche, souvent tressé), ou 4 tranches épaisses de pain brioché au raisin ou de pain blanc moelleux**
**Huile végétale en spray ou beurre doux**
**Sucre glace**

QUEL QUE SOIT LE PAIN QUE VOUS UTILISEZ, IL ABSORBERA MIEUX LE MÉLANGE D'ŒUFS BATTUS S'IL EST LÉGÈREMENT RASSIS.

**1.** Préparez le sirop : mélangez les myrtilles surgelées et le sucre glace dans une casserole de taille moyenne. Faites cuire à feu doux tout en remuant, jusqu'à ce que le jus rendu par les myrtilles commence à frémir. Ajoutez la cannelle en remuant toujours, ôtez du feu et couvrez pour que le sirop reste chaud. Vous pouvez le préparer quelques jours à l'avance. Conservez-le au réfrigérateur dans la casserole et réchauffez à feu doux avant de servir.

2. Faites chauffer une poêle à feu doux jusqu'à ce que quelques gouttes d'eau jetées à la surface mettent environ 2 secondes à s'évaporer. Si l'eau s'évapore plus rapidement, réduisez le feu. Si cela prend plus de temps, augmentez-le. Battez les œufs, le lait, le sucre en poudre, la vanille et le sel dans un grand récipient, jusqu'à ce que le mélange soit parfaitement homogène. Faites tremper le pain dans le plat pendant 1 minute, puis retournez les tranches et répétez l'opération. À la fin, tout ou la plus grande partie du mélange à base d'œuf sera absorbé.

3. Graissez ensuite légèrement la poêle avec du beurre ou de l'huile en spray. Prenez les tranches de pain une par une et placez-les sur la poêle. Laissez cuire environ 4 minutes, jusqu'à ce que le dessous soit bien doré. Retournez-les et faites dorer l'autre côté pendant environ 3 minutes. Servez dans des assiettes chaudes. Il ne vous reste plus qu'à verser 1 cuillerée de sirop de myrtille sur chaque part et saupoudrer de sucre glace.

# Poulet frit mariné au babeurre

Le moyen le plus facile pour obtenir des morceaux de poulet de la bonne taille est d'acheter un poulet prédécoupé en huit morceaux dans n'importe quel supermarché.

RECETTE POUR 4 PERSONNES
TEMPS DE PRÉPARATION : 25 MIN
TEMPS DE CUISSON : 20 MIN

**1 poulet (d'env. 1,6 kg), coupé en 8 morceaux**
**35 cl de babeurre (voir p. 61)**
**1 cuill. à soupe de sel**
**½ cuill. à café de poivre de Cayenne**
**Farine ordinaire**
**Matière grasse végétale ou huile végétale (env. 35 cl)**

1. Ôtez toute la graisse qui reste accrochée aux morceaux de poulet. Si des morceaux de la carcasse adhèrent aux cuisses et aux blancs, coupez-les avec des ciseaux de cuisine. Tranchez l'extrémité des ailes. Coupez chaque blanc en 2, puis en diagonale, à l'aide d'un couteau bien aiguisé.

2. Mélangez le babeurre, le sel et le poivre dans un grand récipient. Ajoutez les morceaux de poulet et remuez-les doucement afin qu'ils soient bien enrobés. Couvrez et placez au réfrigérateur pendant au moins 4 heures (et au mieux toute une nuit).

3. Avant de les faire frire, étalez de la farine sur un grand plat. Sortez les morceaux de poulet du babeurre et disposez-les dans la farine sans qu'ils se touchent. Veillez bien à ce que les morceaux soient tous légèrement mais complètement recouverts de farine. Ôtez l'excédent, puis réservez-les sur un autre plat, côté peau au-dessus.

4. Versez de l'huile dans une grande sauteuse, afin de remplir 2 centimètres au fond. Chauffez l'huile à 160 °C (th. 5/6). (Bree m'a donné une astuce : si vous n'avez pas de thermomètre pour huile de friture, plongez le manche d'une cuillère en bois dans l'huile. Quand elle sera assez chaude, il se formera une série ininterrompue de petites bulles autour du manche). Disposez ensuite une bonne partie du poulet mariné, côté peau, dans la sauteuse en laissant un petit espace entre chaque morceau. Ne remuez pas les morceaux avant qu'ils commencent à

▶▶

dorer, sinon la légère croûte qui se sera formée attachera dans la sauteuse. Réglez la chaleur afin que cela grésille. Si cela commence à éclabousser, c'est que la chaleur est trop élevée.

5. Faites frire 12 minutes environ, jusqu'à ce que le dessous soit bien doré. Faites frire l'autre côté. Si vous avez bien réglé la chaleur, le poulet doit être complètement cuit. Un thermomètre de cuisson plongé dans la partie la plus épaisse de chaque morceau doit indiquer au moins 75 °C. Vous pouvez aussi enfoncer un petit couteau de cuisine dans la partie la plus charnue de chaque morceau : après 1 ou 2 secondes, le jus qui s'écoule doit être transparent et non rosé.

**Note :** Le poulet peut être servi chaud ou à température ambiante. Si vous souhaitez le servir chaud, préchauffez votre four à 90 °C (th. 3). Faites d'abord rôtir les pilons et les cuisses. Égouttez-les, puis gardez-les au chaud sur une plaque dans le four, pendant que vous faites cuire les blancs et les ailes.

# Rôti braisé en cocotte

Un de mes grands classiques, que j'accompagne en général de mes *Pâtes au beurre traditionnelles* (voir recette p. 198). La sauce est légère, mais vous pouvez l'épaissir avec de la Maïzena, si vous le désirez (voir note p. 186).

RECETTE POUR 8 PERSONNES
TEMPS DE PRÉPARATION : 20 MIN
TEMPS DE CUISSON : 8 H

**1,6 à 1,8 kg de bœuf à braiser (paleron ou gîte)**
**70 cl de bouillon de bœuf en cube**
**2 cuill. à soupe de concentré de tomates**
**2 cuill. à soupe de moutarde**
**500 g de petites carottes nouvelles**
**300 g de petits champignons de Paris**
**1 gros oignon jaune, coupé en tranches de 1 cm**
**2 feuilles de laurier**
**Sel et poivre noir du moulin (facultatif)**

1. Essuyez bien les morceaux de bœuf avec du papier absorbant. Huilez le fond d'une poêle et faites chauffer à feu vif jusqu'à ce que l'huile crépite. Déposez-y le bœuf et faites-le revenir pendant environ 12 minutes sur toutes ses faces.

2. Pendant ce temps, mélangez au fouet le bouillon de bœuf, le concentré de tomates et la moutarde dans une cocotte. Ajoutez le bœuf, puis répartissez bien les légumes sur la viande et tout autour. Complétez avec les feuilles de laurier. Faites mijoter à feu très doux pendant 8 heures (oui, vous avez bien lu !).

3. Peu avant la fin de la cuisson, goûtez le jus. Poivrez et salez si besoin.

4. Mettez le bœuf sur une planche à découper. À l'aide d'une écumoire, répartissez les légumes autour d'un grand plat de service. Découpez la viande en tranches de 5 millimètres. Disposez-les de manière à ce qu'elles se chevauchent ou bien servez-les dans des assiettes individuelles. Jetez les feuilles de laurier et, à l'aide d'une

▶▶

louche, versez une partie de la sauce de cuisson dans votre saucière. (Le reste de sauce peut être congelé et utilisé au lieu du bouillon cube pour le prochain rôti braisé en cocotte.) Servez chaud.

**Note :** Pour épaissir la sauce, versez-en une louche d'environ 50 centilitres dans une petite casserole et faites frémir à feu doux. Dans un petit bol, mélangez ensuite de façon homogène 2 cuillères à soupe de Maïzena et 6 centilitres d'eau froide. Ajoutez le tout dans la casserole et laissez mijoter sans cesser de remuer, jusqu'à épaississement de la sauce.

# Côtes de porc premières à la poêle

La prochaine fois que vous mourrez d'envie de vous offrir un petit goût d'été au cœur de l'hiver, pensez à cette recette. La plupart des ingrédients se trouvent très probablement dans votre réfrigérateur et dans vos placards.

RECETTE POUR 4 PERSONNES
TEMPS DE PRÉPARATION : 5 MIN
TEMPS DE CUISSON : 20 MIN

**4 côtes premières de porc de 2 cm d'épaisseur et de 280 g chacune**
**Sel et poivre noir du moulin**
**80 g de purée de tomates**
**60 ml de *Bouillon de poulet maison* (voir recette p. 37), ou de bouillon de volaille en cube**
**1 cuill. à soupe de vinaigre blanc**
**1 cuill. à soupe de sucre blanc ou brun**
**2 cuill. à café de sauce Worcestershire**
**½ cuill. à café d'ail en poudre**
**1 cuill. à soupe d'huile végétale**
**Sauce au piment rouge (type Tabasco), facultatif**

CHOISISSEZ DES CÔTELETTES DE FORME RÉGULIÈRE, AFIN QU'ELLES PUISSENT TOUTES TENIR DANS LA POÊLE SANS SE CHEVAUCHER.

1. Essuyez les côtelettes avec du papier absorbant. Salez et poivrez généreusement chacune sur les 2 faces. Dans un petit bol, mélangez au fouet la purée de tomates, le bouillon, le vinaigre, la sauce Worcestershire et l'ail.

2. Prenez une poêle épaisse et faites chauffer de l'huile à feu vif. Disposez les côtelettes et faites-les griller environ 5 minutes, jusqu'à ce que le dessous soit bien doré. Si la graisse commence à éclabousser, réduisez légèrement le feu. Retournez-les et faites griller l'autre face pendant 4 minutes.

3. Versez la préparation à la tomate dans la poêle et amenez à ébullition afin d'obtenir un léger bouillonnement. Faites cuire jusqu'à ce que la sauce soit assez épaisse pour napper les côtelettes. Retournez-les ensuite sur l'autre face pour bien les imbiber, puis transférez-les sur un plat de service. Goûtez la sauce, ajoutez de la sauce pimentée ainsi que du sel et du poivre si besoin. À l'aide d'une cuillère, versez la sauce sur les côtelettes et servez chaud.

# Pain de viande

ous y voilà ! Ce grand classique de la cuisine américaine est un simple pain de viande juteux et parfumé, composé d'ingrédients que vous avez très probablement sous la main, excepté la viande hachée.

RECETTE POUR 6 PERSONNES
TEMPS DE PRÉPARATION : 10 MIN
TEMPS DE CUISSON : 50 MIN

VOUS POUVEZ REMPLACER LE BŒUF PAR UN MÉLANGE DE PORC, DE VEAU ET DE BŒUF DANS LES MÊMES PROPORTIONS (COMMANDEZ-LE À VOTRE BOUCHER).

**1 kg de paleron haché (pas plus de 15 % de matières grasses)**
**80 g de *Chapelure parfumée maison*** **(voir recette p. 190)** **ou de chapelure du commerce**
**4 oignons nouveaux épluchés et émincés en fines tranches**
**1 carotte moyenne épluchée et grossièrement râpée**
**2 gros œufs**
**3 cuill. à soupe de sauce Worcestershire**
**3 cuill. à soupe de moutarde**
**2 cuill. à soupe de concentré de tomates**
**1 cuill. à café de thym en poudre**
**1 cuill. à café de sel**
**¼ de cuill. à café de poivre noir du moulin**

1. Préchauffez le four à 190 °C (th. 6/7).

2. Émiettez le bœuf haché dans un grand saladier. Parsemez-le de chapelure, d'oignon et de carotte râpée. Dans un autre récipient, battez les œufs, la sauce Worcestershire, la moutarde, le concentré de tomates, le thym, le sel et le poivre. Versez ensuite ce mélange sur le bœuf et malaxez bien, à la main, jusqu'à ce que les ingrédients soient intimement mêlés à la viande.

3. Mettez la préparation ainsi réalisée sur une plaque de cuisson. Humectez vos mains et formez un pain régulier et homogène d'environ 20 x 10 x 5 centimètres. Faites cuire pendant environ 50 minutes, jusqu'à ce qu'il n'y ait plus la moindre trace rosée au centre. (Un thermomètre de cuisson plongé au centre indiquera 75 °C.) Sortez alors le pain de viande du four et laissez reposer pendant 5 minutes. Servez chaud, coupé en tranches de 2,5 centimètres d'épaisseur.

# Chapelure parfumée maison

La chapelure, qui fait partie des ingrédients indispensables en cuisine, me sert de base dans la plupart de mes recettes. Cette version maison ne contient que des ingrédients de qualité : fines herbes, épices, miettes de pain. Mélangée avec un peu d'huile végétale, la chapelure parfumée conviendra pour enrober toutes sortes de plats cuits au four, comme les grillades de poulet, les côtelettes de porc ou les filets de poisson.

RECETTE POUR 160 G DE CHAPELURE
TEMPS DE PRÉPARATION : 5 MIN
TEMPS DE CUISSON : 20 MIN PORC, 15 MIN POULET, 12 MIN POISSON

**160 g de miettes de pain nature**
**2 cuill. à soupe de sel**
**1 cuill. à soupe de thym**
**1 cuill. à soupe d'origan**
**1 cuill. à soupe de sauge**
**1 cuill. à soupe de paprika**
**1 cuill. ½ à café de poivre noir du moulin**

Mixez soigneusement tous les ingrédients dans un robot afin d'obtenir une fine poudre. Vous pouvez conserver votre chapelure environ 2 mois dans un récipient hermétique placé dans un endroit frais, à l'abri de la lumière.

**RECETTE DE BASE POUR PRÉPARER VOS PANÉS :**

Mélangez 50 grammes de chapelure parfumée avec 1 cuillère à café d'huile végétale, jusqu'à ce que les miettes prennent la consistance du sable mouillé. Étalez-les sur une assiette et appliquez délicatement sur chaque face de votre morceau de viande ou de poisson, puis procédez selon les recettes suivantes.

### POUR 4 CÔTELETTES DE PORC PANÉES :

Préchauffez le four à 215 °C (th. 7/8). Utilisez le mélange précédent pour recouvrir les 2 côtés de vos 4 côtes de porc (de 250 grammes et de 2 centimètres d'épaisseur chacune). Disposez les côtelettes panées sur une plaque antiadhésive (ou sur une plaque légèrement huilée). Faites griller pendant environ 20 minutes jusqu'à ce qu'il n'y ait plus aucune trace rosée près de l'os et que la croûte soit bien dorée.

### POUR 4 BLANCS DE POULET PANÉS :

Préchauffez le four à 240 °C (th. 8). Utilisez le mélange pour recouvrir les 2 côtés de 4 blancs de poulet sans os et sans peau (de 200 grammes et 3 centimètres d'épaisseur chacun). Disposez les 4 tranches de poulet panées sur une plaque antiadhésive (ou une plaque légèrement huilée). Faites griller pendant environ 15 minutes, jusqu'à ce qu'aucune trace rosée ne subsiste au centre de la partie la plus épaisse de la viande et que la croûte soit bien dorée.

### POUR 4 FILETS DE POISSON PANÉS :

Préchauffez le four à 240 °C (th. 8). Utilisez le mélange pour recouvrir les 2 côtés de 4 filets de poisson (de 230 grammes chacun et de 3 centimètres d'épaisseur). Vous pouvez, par exemple, choisir du panga, de la limande ou du cabillaud. Disposez les filets panés sur une plaque antiadhésive (ou sur une plaque légèrement huilée). Faites griller pendant environ 12 minutes, jusqu'à ce que le poisson soit totalement opaque et que la croûte soit bien dorée.

# Mary Todd Lincoln

Connue surtout pour avoir été assise aux côtés de son mari dans le Théâtre Ford le jour où il fut abattu d'une balle dans la tête par le fanatique sudiste John Wilkes Booth, Mary Todd Lincoln eut une vie pénible et tragique à bien des égards, quoi qu'en pense l'opinion américaine. Jugez plutôt : moins de dix ans après la mort de son époux, elle finit internée dans un asile psychiatrique, après avoir perdu tout ce qui était cher à son cœur.

La vie de Mary Todd Lincoln n'avait pourtant pas commencé sous de mauvais auspices. Née en 1818 dans une famille aisée du Kentucky, la jeune Mary quitta son Sud natal à la fin de son adolescence pour Springfield, dans l'Illinois. Très vite, elle rencontra puis épousa l'amour de sa vie, Abraham Lincoln, qui n'était alors qu'un jeune étudiant en droit. Comme chacun sait, son mari devint président des États-Unis à une époque très agitée de l'histoire du pays, alors déchiré par l'esclavage et la guerre civile. Aujourd'hui encore, Abraham Lincoln est considéré comme l'un des plus grands présidents américains.

Malheureusement, leur vie à la Maison Blanche ne fut pas un long fleuve tranquille. Le couple, qui avait déjà perdu un enfant avant de s'installer à Washington, subit une nouvelle perte en 1962, en plein mandat présidentiel. Ce fut d'autant plus terrible qu'il s'agissait de Willie, le fils préféré de Mary. Avant ce tragique décès, Mary était une première dame tout à fait ordinaire, bien que particulièrement dépensière, dilapidant des fortunes en vêtements et en distractions. Après la mort de Willie, elle perdit tout intérêt pour les futilités et fut même accusée de se dérober à ses devoirs de First Lady. Il faut reconnaître que le peuple américain ne l'a jamais vraiment portée dans son cœur. Son goût pour l'opulence, son éducation sudiste (sa loyauté fut même remise en question pendant la guerre de Sécession) et sa frivolité n'étaient pas du goût des grands pontes de Washington, ni des Américains en général. Malgré leurs caractères radicalement différents, le mariage de Mary et Abraham semble néanmoins avoir été solide, d'autant plus que le grand homme souffrait de dépression qui le rendait sujet à des accès de grande tristesse et de profond désespoir.

En état de choc après l'assassinat de son époux, Mary Todd Lincoln fut incapable de sortir de la Maison Blanche pendant de longues semaines. Lorsqu'elle finit par quitter Washington pour s'installer à Chicago, c'était une femme anéantie. Privée de la fortune de son mari, qui était sous séquestre, Mary toucha rapidement le fond. Déjà durement éprouvée par les deuils, elle tomba dans un état de démence. Le coup de grâce lui fut porté quand elle fut internée sur le témoignage de son fils aîné, Robert Todd Lincoln, seul survivant de ses quatre enfants. Elle y mourut sept ans plus tard, le cœur brisé par tous les coups d'un destin qui s'était acharné sur elle.

# Choux de Bruxelles glacés au miel et à l'orange

Comme toutes les mamans du monde, je sais que les choux de Bruxelles sont particulièrement difficiles à donner aux enfants. Voici un glaçage à l'orange et au miel qui les rend plus attrayants, voire irrésistibles...

RECETTE POUR 4 PERSONNES
TEMPS DE PRÉPARATION : 20 MIN
TEMPS DE CUISSON : 25 MIN

**2 grandes boîtes de 500 g de gros choux de Bruxelles (env. 700 g une fois égouttés)**
**1 cuill. à soupe d'huile végétale**
**1 cuill. à soupe de beurre**
**1 oignon jaune moyen, coupé en morceaux de 5 mm (env. 150 g)**
**3 cuill. à soupe de jus d'orange**
**1 cuill. à soupe de miel**
**Sel et poivre noir du moulin**

1. Amenez à ébullition une grande casserole (ou un faitout) d'eau salée.

2. Pendant ce temps, raccourcissez le trognon de chaque chou. Puis coupez les choux en 2 de haut en bas et plongez-les dans l'eau bouillante. Quand l'eau recommence à bouillir, laissez cuire pendant 5 minutes. Rincez abondamment.

3. Faites chauffer l'huile végétale et le beurre dans un grand poêlon, jusqu'à ce que le beurre devienne mousseux. Ajoutez l'oignon et faites-le revenir pendant environ 8 minutes tout en remuant de temps en temps, jusqu'à ce qu'il soit légèrement doré. Ajoutez les choux de Bruxelles égouttés et faites cuire pendant environ 14 minutes, tout en continuant de remuer avec précaution, pour que les choux n'attachent pas et ne brûlent pas. Ils doivent être très tendres et bien rissolés.

4. Mélangez ensuite le jus d'orange et le miel dans un petit bol, jusqu'à ce que le miel soit dissous. Augmentez le feu et versez cette préparation dans la poêle. Amenez à ébullition et faites cuire sans cesser de remuer, jusqu'à ce que le liquide soit évaporé et que les choux soient nappés d'un glaçage brillant. Hors du feu, salez et poivrez à votre goût. Servez immédiatement. Si vous les avez préparés à l'avance, vous n'aurez plus qu'à les faire réchauffer pendant 20 minutes dans un plat allant au four à 190 °C (th. 6/7).

# Cassolette de pommes de terre

RECETTE POUR 6 PERSONNES
TEMPS DE PRÉPARATION : 15 MIN
TEMPS DE CUISSON : 40 MIN

**25 cl de *Bouillon de poulet maison* (voir recette p. 37) ou de bouillon de volaille en cube**

**25 cl (ou 250 g) de crème légère**

**700 g de grosses pommes de terre à chair ferme**

**1 poireau moyen, nettoyé (voir p. 5) et coupé en rondelles de 5 mm**

**Sel et poivre noir du moulin**

**30 de g de *Chapelure parfumée maison* (voir recette p. 190) ou de chapelure du commerce**

**100 g de gouda au poivre râpé ou d'emmenthal**

1. Mettez une plaque de cuisson en position haute dans votre four et préchauffez celui-ci à 190 °C (th. 6/7). Versez le bouillon et la crème dans un plat à four de 23 x 28 centimètres de diamètre ou un plat à four ovale de 30 centimètres de long.

2. Épluchez les pommes de terre et lavez-les. Coupez-les en dés de 1 centimètre et mettez-les dans le plat. Répartissez les rondelles de poireau par-dessus, salez et poivrez légèrement à votre goût, puis remuez bien. Laissez cuire pendant environ 25 minutes, jusqu'à ce que les pommes de terre soient tendres mais encore fermes à cœur.

3. Parsemez ensuite de chapelure et mélangez. Goûtez et assaisonnez de sel et de poivre à votre convenance, puis recouvrez d'une couche uniforme de fromage râpé. Laissez cuire environ 15 minutes, jusqu'à ce que le liquide soit presque totalement absorbé. Les pommes de terre doivent être tendres et le dessus bien gratiné. Laissez reposer 5 minutes avant de servir.

# LA LISTE DE COURSES DE LYNETTE

Œufs frais
Bâtonnets de poisson panés
Gâteau roulé aux fruits
Nuggets de poulet
Frites prédécoupées
Hot-dogs
Petits pains à hot-dogs
Pain de mie
Beurre de cacahuète
Confiture
Briques de jus de fruits
Céréales pour bébé
Couches (taille 3)
Maxi paquet de papier toilette
Smecta (pour le transit)
Viande pour hamburgers

Tortillas
Pastilles Rennie (pour la digestion)
Salade en sachet
Tomates
Pâtes de forme amusante
Charcuterie
Pommes
Bananes
Soda sans sucre
Boisson énergétique
Café
Expresso
Grains de café enrobés de chocolat
Plateaux-repas
Chips
Sacs en papier pour le déjeuner
Surgelés

# Brocolis ou chou-fleur à la chapelure parfumée

Vous pouvez préparer ce plat en mélangeant ces deux légumes, le résultat en sera meilleur et bien plus original. Et, grâce à la chapelure, il se peut même que vos enfants en redemandent…

RECETTE POUR 4 PERSONNES
TEMPS DE PRÉPARATION : 15 MIN
TEMPS DE CUISSON : 16 MIN

**Sel**
**500 g de morceaux de brocolis ne faisant pas plus de 5 cm (à peu près 4 bouquets moyens) ou 600 g de bouquets de chou-fleur, pas plus gros que 6 cm (provenant d'un gros chou-fleur)**
**Huile végétale**
**35 g de *Chapelure parfumée maison* (voir recette p. 190)**
**2 cuill. à soupe de parmesan râpé fin**
**2 cuill. à soupe de beurre fondu ou d'huile végétale**

1. Faites bouillir une grande casserole d'eau salée ou un faitout, et versez-y les brocolis. Après la reprise de l'ébullition, laissez-les cuire à feu vif pendant 4 minutes, jusqu'à ce que la partie la plus épaisse de la tige soit tendre mais encore ferme (compter 5 minutes pour le chou-fleur). Égouttez et rincez rapidement à l'eau froide Étalez ensuite les légumes sur une couche épaisse de papier absorbant pour qu'ils sèchent et refroidissent complètement.

2. Placez votre grille à mi-hauteur dans votre four et préchauffez celui-ci à 210 °C (th. 7). Huilez généreusement la plaque de cuisson.

3. Mélangez la chapelure, le fromage et le beurre fondu dans un grand saladier. Ajoutez la moitié des brocolis et/ou du chou-fleur, puis remuez. Appuyez légèrement pour que les miettes adhèrent bien aux légumes. Ils ne seront pas uniformément recouverts de chapelure, mais cela n'a pas d'importance. Disposez-les ensuite dans le plat huilé, puis procédez de même avec le reste des légumes.

4. Laissez cuire environ 12 minutes, jusqu'à ce que la croûte soit bien dorée et que les légumes soient tendres. Servez très chaud ou à température ambiante.

# Pâtes au beurre traditionnelles

RECETTE POUR 4 PERSONNES
TEMPS DE PRÉPARATION : 8 MIN
TEMPS DE CUISSON : 4 MIN

**400 à 450 g de tortis aux œufs**
**2 cuill. à soupe de beurre doux (30 g), placé à température ambiante**
**2 cuill. à soupe de persil ou d'aneth haché**
**Sel et poivre noir du moulin**

1. Faites cuire les pâtes *al dente* pendant 4 ou 5 minutes dans une casserole d'eau salée de taille moyenne. (Quand vous en goûtez une, il doit rester une légère trace de blanc au centre.) Pendant la cuisson, mettez dans un petit bol le beurre ainsi que le persil ou l'aneth.

2. À la cuillère, versez 6 centilitres d'eau de cuisson des pâtes dans le bol contenant le beurre. Égouttez bien les pâtes en secouant légèrement la passoire afin d'ôter le maximum d'eau. Remettez-les ensuite dans la casserole, à feu modéré, puis ajoutez le mélange beurre et eau. Remuez doucement jusqu'à ce que toute l'eau soit évaporée et que les pâtes soient bien brillantes. Ôtez du feu, salez et poivrez à votre goût.

## Attribuez à chaque Desperate Housewife son film préféré :

1. *Les Vestiges du jour*
2. *Quand Harry rencontre Sally*
3. *Neuf semaines et demie*
4. *Working Girl*
5. *Diamants sur canapé*

A. Susan Mayer
B. Edie Britt
C. Bree Van De Kamp
D. Gabrielle Solis
E. Lynette Scavo

## Réponses :

1C. **Bree.** Elle place le décorum et les convenances au-dessus de tout, même de l'amour.

2A. **Susan.** Incorrigible romantique, elle apprécie tout particulièrement la relation amoureuse mouvementée que vivent les personnages interprétés par Billy Cristal et Meg Ryan.

3B. **Edie.** Un film qui allie sexe, bondage et obsession. Sans commentaires.

4E. **Lynette.** Elle fut tellement impressionnée par l'horrible patronne incarnée par Sigourney Weaver qu'elle s'inscrivit aussitôt dans une école de commerce pour passer un MBA.

5D. **Gabrielle.** Son cœur balance entre *Diamants sur canapé* et *Pretty Woman*, deux grands classiques qui résument bien sa vie. C'est finalement *Diamants sur canapé* qu'elle a choisi, pour la garde-robe (et Audrey Hepburn, bien sûr).

# Café frappé

Parmi toutes mes amies, la plus intime est certainement la caféine. De la tasse de café que je prends le matin pour bien démarrer la journée en préparant les enfants pour l'école, au Coca *light* de midi afin de tenir le coup pour animer mes réunions, jusqu'à l'expresso que je partage avec Tom après le dîner. Mon lourd secret, ma drogue, c'est la caféine. Si vous essayez ce café frappé, vous aussi, vous deviendrez accro !

POUR 1 TASSE

**3 glaçons de café (voir l'encadré ci-dessous)**
**120 ml de lait entier**
**60 ml de lait concentré demi-écrémé non sucré**
**1 paquet individuel d'édulcorant ou**
**1 cuill. à café de sucre en poudre extrafin**

Mettez tous les ingrédients dans un robot et mixez en position maximale jusqu'à ce que le mélange soit onctueux. Versez ensuite dans un grand verre que vous aurez pris soin de réfrigérer.

La prochaine fois qu'il vous restera du café dans la cafetière, pensez à ce petit remontant rafraîchissant. Versez le café dans votre bac à glaçons et, une fois gelé, conservez-le au congélateur dans un sac hermétique. vous pouvez réaliser une version allégée de ce café frappé en substituant du lait de soja ou du lait écrémé à la place du lait entier ou du lait concentré non sucré. La texture sera plus granitée qu'onctueuse et crémeuse, mais le goût n'en sera pas moins délicieux.

## Lynette plébiscite les préparations pour gâteaux

Quand j'étais à l'école de commerce, j'ai découvert un petit secret inavouable sur les préparations pour gâteaux. Dans les années 1960, l'industrie agroalimentaire a mis au point une recette magique pour obtenir sans effort un gâteau : il suffisait d'ajouter un unique ingrédient de base, l'eau. Mais les tests de consommateurs ont relevé que les ménagères ne se sentaient pas assez impliquées, n'ayant pas l'impression de faire réellement de la pâtisserie. Ils révisèrent alors leur formule pour la rendre plus sophistiquée. C'est pourquoi les nouvelles recettes de préparations pour gâteaux nécessitent maintenant des œufs, du lait et divers autres ingrédients. Juste pour que les femmes se sentent de meilleures maîtresses de maison !

J'ai quatre enfants. Savez-vous combien de temps je passe à préparer des gâteaux ? Je peux vous dire que ça me simplifierait vraiment la vie s'il me suffisait de mélanger une poudre avec de l'eau pour satisfaire mes exigeantes têtes blondes. Alors mesdames, que celles qui ont besoin de se sentir valorisées quand elles font un gâteau en fassent un vrai de vrai ! Et qu'elles laissent aux autres la possibilité de paresser ou, comme dans mon cas, d'« optimiser leur temps » !

# Cookies de la baby-sitter

J'ai ajouté ces *cookies* à mon livre de recettes lorsque j'ai constaté à quel point le comportement de mes enfants s'améliorait à la perspective de cette récompense.

RECETTE POUR 20 COOKIES
TEMPS DE PRÉPARATION : 25 MIN
TEMPS DE CUISSON : 20 MIN

**200 g de farine ordinaire**
**1 cuill. à café de levure**
**1 plaquette de 125 g de beurre doux**
**150 g de sucre + un peu pour saupoudrer sur les cookies**
**1 œuf**
**1 cuill. à café d'extrait de vanille naturelle**
**200 g de beurre de cacahuète**
**100 g de pépites de chocolat**

1. Mettez la plaque à mi-hauteur dans votre four et préchauffez celui-ci à 180 °C (th. 6). Huilez légèrement une plaque à gâteaux ou recouvrez-le de papier sulfurisé.

2. Mélangez la farine et la levure dans un bol et réservez. Dans un saladier, fouettez vivement le beurre et le sucre à l'aide d'un batteur électrique, jusqu'à ce que le mélange soit onctueux. Puis ajoutez les œufs, la vanille et le beurre de cacahuète, et fouettez à nouveau. Incorporez enfin le mélange farine/levure et battez encore, de sorte qu'il ne reste plus aucune trace blanche.

3. Formez une boule avec 2 cuillères à soupe de cette pâte et mettez-la dans le plat à cookies. Appliquez le fond d'un verre sur la boule et appuyez pour former un cercle de 6 centimètres. Répétez l'opération avec le reste de la pâte, en utilisant 2 plats si nécessaire.

4. Enfoncez la pointe des pépites dans la pâte pour confectionner des visages souriants ☺ : 1 pépite de chocolat pour chaque œil et 4 pour le sourire. Saupoudrez généreusement de sucre. Laissez cuire environ 20 minutes, jusqu'à ce que les bords soient légèrement colorés. Sortez du four et laissez refroidir complètement avant de servir. Vous pouvez conserver ces cookies jusqu'à 4 jours dans une boîte hermétique.

# Martinis à la mangue

RECETTE POUR 4 GRANDS VERRES
OU 6 VERRES PLUS PETITS
TEMPS DE PRÉPARATION : 2 À 3 MIN

**35 cl de vodka**
**12 cl de cointreau**
**12 cl de jus de mangue (ne pas utiliser de nectar) ou davantage, selon votre goût**
**Morceaux ou quartiers d'ananas pour la garniture**

Mélangez tous les ingrédients excepté les morceaux d'ananas, puis placez au réfrigérateur. Vous mélangerez à nouveau avant de verser dans le shaker, car le jus de mangue se sera déposé au fond. Recouvrez ensuite d'une grande quantité de glaçons et secouez bien. Versez dans des verres à martini givrés, que vous décorerez joliment d'un morceau d'ananas frais.

# Dip de crabe à la diable

Nous avons un très grand choix de chair de crabe aux États-Unis. N'importe quelle sorte qui ne s'émiette pas trop conviendra tout à fait pour cette recette. Ce dip, qui est une sauce dans laquelle on peut tremper des crackers, des chips mais aussi des bâtonnets de légumes, constitue une très bonne idée pour l'apéritif.

RECETTE POUR 600 G
TEMPS DE PRÉPARATION : 5 MIN

**100 à 120 g de fromage frais (type Saint-Moret), ramolli**
**120 g de mayonnaise**
**1 belle branche de céleri effeuillée et finement hachée (env. 70 g)**
**2 cuill. à soupe de moutarde ordinaire ou épicée**
**2 boîtes de 120 g de chair de crabe, égouttée**
**Paprika**
**Crackers (ou autres biscuits salés), *Parfaits crostinis* (voir recette p. 222) ou *Chips de pita* (voir recette p. 85) pour tremper dans le dip, ou encore : bâtonnets de carotte, de concombre, de céleri…**

Dans un saladier, battez au fouet le fromage frais, la mayonnaise, le céleri et la moutarde jusqu'à ce que tous ces ingrédients soient parfaitement mélangés. Vérifiez qu'il ne reste pas de cartilage ou de fragments de carapace dans la chair de crabe, puis ajoutez-la à la sauce. Mélangez bien et saupoudrez de paprika avant de servir. Le dip peut être servi à température ambiante, conservé au frais (pendant 24 heures) ou servi chaud. Pour le réchauffer, versez-le à l'aide d'une spatule dans un récipient allant au four, puis enfournez à 150 °C (th. 5) pour environ 15 minutes. Servez avec des crackers ou toute autre chose que vous voudrez tremper dedans, selon votre fantaisie.

# Moules au vin blanc façon bistrot

Les moules d'élevage demandent peu de préparation et cuisent en un clin d'œil. Vous pouvez préparer le mélange vin-oignon au moins 2 jours à l'avance. Servez-les en entrée, avec des tranches de pain ou bien en plat principal, en les accompagnant de 500 grammes de spaghettis, cuits *al dente* et égouttés.

RECETTE POUR 6 PERSONNES EN ENTRÉE
OU POUR 4 PERSONNES EN PLAT PRINCIPAL
TEMPS DE PRÉPARATION : 30 MIN
TEMPS DE CUISSON : 4 MIN

**1 kg de moules, de préférence d'élevage**
**2 cuill. à soupe d'huile d'olive**
**1 oignon jaune de taille moyenne, émincé en fines lamelles**
**25 cl de vin blanc sec**
**60 g de crème fraîche épaisse (facultatif)**
**Poivre noir grossièrement moulu**
**2 cuill. à soupe de persil plat finement haché ou de ciboulette**

1. Rincez les moules à grande eau. Triez-les et grattez tout ce qui adhère à la coquille. Si nécessaire (vraisemblablement pas avec des moules d'élevage), ôtez les « barbes », ces parties filandreuses qui dépassent du côté plat de la coquille. Attention, ne conservez pas les moules qui se rouvrent si vous les fermez en appuyant sur la coquille.

2. Faites chauffer l'huile à feu moyen dans une grande sauteuse ou une cocotte. Ajoutez l'oignon et faites-le revenir en remuant pendant environ 4 minutes, sans le laisser prendre couleur. Incorporez ensuite le vin blanc, amenez à ébullition et laissez cuire jusqu'à ce qu'il réduise de moitié. Versez la crème si vous le souhaitez, poivrez à votre convenance, puis ajoutez les moules. Couvrez la cocotte et laissez cuire environ 4 minutes à feu vif, jusqu'à ce que les moules soient ouvertes. Hors du feu, assaisonnez avec les aromates de votre choix et servez à la louche dans des assiettes creuses préalablement chauffées. Placez 1 ou 2 bols supplémentaires sur la table pour les coquilles.

# Soufflé aux champignons (préparé à l'avance)

Mon secret : toutes les bases de soufflé peuvent être conservées, dans leur plat de cuisson, au réfrigérateur, puis passées directement au four. Astuce : si vous hachez très finement les champignons, ils resteront bien répartis dans la pâte et ne tomberont pas au fond du plat.

RECETTE POUR 4 PERSONNES EN PLAT PRINCIPAL
OU 6 À 8 PERSONNES EN ENTRÉE
TEMPS DE PRÉPARATION : 15 MIN
TEMPS DE CUISSON : 20 MIN BÉCHAMEL + 55 MIN SOUFFLÉ

**POUR LA BÉCHAMEL ÉPAISSE**

**Voir la recette de Susan, page 114**

**POUR LE SOUFFLÉ**

**Beurre doux ramolli**
**25 g de parmesan râpé fin ou d'asiago**
**300 g de champignons de Paris, essuyés et tranchés en 4 (coupez l'extrémité du pied)**
**1 cuill. à soupe d'huile végétale**
**Sel**
**4 œufs (séparez les blancs des jaunes)**
**110 g de gruyère (ou de cheddar, de gouda) râpé**
**2 cuill. à café de moutarde**
**⅛ de cuill. à café de noix de muscade râpée**

1. Préparez la *Sauce béchamel* de Susan (voir recette p. 114). À l'aide d'une spatule, versez la sauce dans un grand saladier et laissez tiédir, en remuant de temps en temps au fouet pour éviter la formation d'une peau à la surface.

2. Beurrez généreusement un moule à soufflé de 21 centimètres de diamètre (n'oubliez pas les bords). Parsemez le fond de parmesan râpé, puis faites tourner le moule en le tapotant pour que le fromage se répartisse bien au fond et sur les côtés. Réservez le moule ainsi que le reste du parmesan.

LES MOULES À SOUFFLÉ SE PRÉSENTENT SOUS DIFFÉRENTES FORMES ET TAILLES. LES QUANTITÉS UTILISÉES DANS CETTE RECETTE SONT CALCULÉES POUR UN MOULE DE 21 CM DE DIAMÈTRE.

3. Procédez ensuite en 3 étapes. Hachez d'abord très finement les champignons au robot-mixeur en donnant des impulsions répétées. Faites chauffer l'huile dans une grande sauteuse à feu moyen jusqu'à ce qu'elle crépite. Ajoutez les champignons et salez légèrement ; ils vont rendre beaucoup d'eau. Poursuivez la cuisson pendant environ 10 minutes tout en remuant, jusqu'à ce que le liquide soit évaporé et que les champignons commencent à sécher et à adhérer à la poêle. Puis ôtez du feu.

4. Quand la béchamel est tiède, incorporez les jaunes d'œufs un à un et fouettez-les. Tout en remuant, incorporez le gruyère râpé, le reste du parmesan, la moutarde et la noix de muscade. Ajoutez les champignons en dernier.

5. Dans un autre récipient, battez ensuite les blancs en neige à grande vitesse avec un batteur électrique (ou à la main avec un fouet métallique), jusqu'à ce qu'ils forment de petits pics lorsqu'on soulève le fouet. Les blancs ne doivent pas être trop fermes, sinon le soufflé ne gonflera pas d'une manière spectaculaire. Prenez 1 bonne cuillerée de blancs en neige et incorporez-la doucement au mélange à base de béchamel. Versez le reste des blancs sur ce mélange et incorporez-le avec une spatule en caoutchouc en soulevant la pâte du fond du moule et en la passant par-dessus les blancs. Répétez ce mouvement jusqu'à ce qu'il ne subsiste qu'1 ou 2 traces de blanc. Toujours à l'aide de la spatule, versez le soufflé dans le moule que vous avez préparé. Après l'avoir recouvert d'un film alimentaire, vous pouvez le conserver jusqu'à 24 heures au réfrigérateur.

6. Mettez votre plaque à mi-hauteur dans votre four et préchauffez celui-ci à 190 °C (th. 6/7). Posez le moule sur la plaque. Faites cuire environ 45 minutes, jusqu'à ce que le soufflé soit bien doré et que le centre « tremble » encore un peu lorsque vous remuez la plaque (avec précaution !).

7. Sortez la plaque du four. Laissez reposer 1 minute, puis servez, en prenant soin de présenter sur chaque assiette le croustillant de la pâte associé au crémeux du soufflé.

**Note:**

**POUR SERVIR CE SOUFFLÉ SANS LE RÉFRIGÉRER :**

Confectionnez la préparation indiquée page précédente. Après avoir fait la béchamel, placez la plaque à mi-hauteur dans votre four et préchauffez celui-ci à 210 °C (th. 7). Dès que les blancs en neige sont incorporés à la pâte, placez la préparation au four et laissez cuire environ 35 minutes, jusqu'à ce que le soufflé soit bien gonflé et doré. Servez comme indiqué ci-dessus.

# Filets de saumon panés à la moutarde

La chaleur qui se dégage du gril, combinée à celle du four, confère aux filets de saumon une croûte dorée uniformément et une cuisson parfaite à cœur. Mais si vous préférez que votre saumon soit plus cuit, éteignez le gril et laissez les filets dans le four quelques minutes de plus.

RECETTE POUR 4 PERSONNES
TEMPS DE PRÉPARATION : 10 MIN
TEMPS DE CUISSON : 8 À 10 MIN

**110 g de panko (voir note p. suivante)**
**3 cuill. à soupe de moutarde à l'ancienne**
**1 cuill. à soupe de jus de citron pressé**
**1 cuill. à soupe d'huile végétale**
**1 cuill. à soupe de cassonade**
**1 cuill. à café de sel et quelques tours de moulin de poivre noir**
**4 filets de saumon, avec la peau, de 200 à 230 g chacun et de 3 cm d'épaisseur**

**1.** Placez la grille à environ 20 centimètres de la résistance haute du gril et préchauffez celui-ci à la température la plus basse.

**2.** Étalez une couche de chapelure sur une assiette. Mélangez au fouet la moutarde, le jus de citron, l'huile, la cassonade, le sel et le poivre dans un saladier de taille moyenne. Plongez un filet, côté chair, dans ce mélange, de manière à ce qu'il en soit uniformément recouvert, excepté la peau. Puis faites de même avec la chapelure en appuyant du bout des doigts pour que les miettes adhèrent bien. Placez le filet, côté peau, sur un plat recouvert d'une feuille de papier d'aluminium. Procédez de la même façon avec le reste des filets. Vous pouvez appliquer la chapelure et assaisonner les filets jusqu'à 2 heures avant. Recouvrez le plat d'un film alimentaire et placez-la au réfrigérateur. Au moment de les cuire, vous enlèverez le film et laisserez le saumon à température ambiante le temps que le gril chauffera.

**3.** Faites griller pendant environ 8 minutes jusqu'à ce que la croûte soit bien dorée et que les filets soient cuits à point. Vérifiez 1 ou 2 fois que la croûte ne dore pas trop vite. Si c'est le cas, placez les filets plus bas, éteignez le gril et laissez 1 ou 2 minutes au four. Servez immédiatement.

**Note :** Le panko est une chapelure japonaise composée de miettes de pain blanc. Assez grosses et très sèches, ces miettes sont parfaites pour cette recette. Si vous n'en trouvez pas dans une boutique asiatique ou spécialisée, ou bien sur le Net (voir les Sources p. 266), confectionnez votre propre chapelure. Attention, cela prend un certain temps !

Ôtez la croûte d'un pain de la veille. (Il doit être un peu rassis mais pas totalement sec, sinon les miettes seront trop fines.) Coupez le pain en petits dés de 2 centimètres et mettez-le dans un robot. En faisant fonctionner rapidement le bouton pulse plusieurs fois, vous obtiendrez de grosses miettes. Étalez-les ensuite sur une plaque et laissez sécher à température ambiante pendant 1 jour ou 2, selon l'humidité de la pièce.

# Asperges rôties au parmesan

Lorsqu'elles seront parsemées de fromage, les pointes d'asperges vont se coller les unes aux autres. Séparez-les en petits « radeaux » individuels. Placés au centre de chaque assiette, ce sera du plus bel effet avec les *Filets de saumon panés à la moutarde* (voir recette p. 212).

RECETTE POUR 4 PERSONNES
TEMPS DE PRÉPARATION : 13 À 15 MIN
TEMPS DE CUISSON : 12 À 14 MIN

**500 g d'asperges moyennes (tiges de 0,5 à 1 cm d'épaisseur)**
**1 cuill. à soupe de beurre fondu**
**Sel et poivre noir du moulin**
**30 g de parmesan grossièrement râpé**

**1.** Pour couper la partie dure de l'asperge, tenez fermement chaque tige par la pointe, puis inclinez-en le bout et la partie dure cassera net, ne laissant que la partie tendre de la tige. Épluchez-les de la base à la pointe. Vous pouvez préparer les asperges jusqu'à 24 heures à l'avance. Enveloppez-les ensuite dans du papier absorbant et placez la botte dans un sac en plastique dans le bac à légumes de votre réfrigérateur.

**2.** Au moment de servir, préchauffez le four à 240 °C (th. 8) et disposez les asperges sur une plaque. Versez un léger filet de beurre par-dessus, puis frottez-les jusqu'à ce qu'elles soient uniformément enrobées. Assaisonnez de sel et poivre. Utilisez la partie plate d'une spatule en métal pour rassembler les asperges de manière à ce qu'il n'y ait pas d'espace entre les tiges. Faites cuire pendant environ 10 minutes, les asperges doivent être bien tendres. Jusqu'à ce stade, vous pouvez les préparer au moins 2 heures à l'avance. Laissez à température ambiante.

**3.** Parsemez ensuite uniformément les tiges de fromage, à l'exception des pointes. Remettez au four pendant 2 minutes pour que le fromage fonde, si vos asperges sortent directement du four, ou 4 minutes au plus, pour des asperges ayant été cuites à l'avance. Servez immédiatement, en séparant la rangée d'asperges en 4 parts égales ou en détachant chaque asperge des autres, à votre convenance.

# Champignons vite faits bien faits

Une aubaine pour les mères qui, comme moi, sont très occupées, mais aussi pour toutes les autres qui ont besoin d'un plat d'accompagnement de dernière minute. Il est tout aussi délicieux à la sortie du four qu'à température ambiante.

RECETTE POUR 4 PERSONNES
TEMPS DE PRÉPARATION : 6 À 8 MIN
TEMPS DE CUISSON : 20 MIN

**2 cuill. à soupe d'huile d'olive**
**2 cuill. à café de jus de citron ou de vinaigre de vin blanc**
**1 cuill. à café de sel**
**½ cuill. à café de cumin en poudre**
**300 g de champignons de Paris frais, essuyés avec un papier absorbant humide**

1. Préchauffez le four à 240 °C (th. 8).

2. Mélangez l'huile, le jus de citron, le sel et le cumin dans un plat à four (de 28 x 33 centimètres de diamètre). Tranchez l'extrémité des champignons, puis coupez-les en 4. Ajoutez-les au mélange préparé dans le plat puis remuez bien afin qu'ils soient uniformément recouverts. Étalez-les ensuite en une couche régulière. Faites cuire pendant 20 minutes, en remuant à mi-cuisson, jusqu'à ce qu'ils soient bien tendres et dorés. Servez chaud ou froid.

# Brownies irrésistibles

Ces savoureux *brownies*, qui tiennent à la fois du gâteau et du fudge (caramel mou), réunissent ce qu'il y a de meilleur dans ces deux gourmandises. Ils se congèlent aussi parfaitement.

RECETTE POUR 16 BROWNIES DE 8 X 5 CM
TEMPS DE PRÉPARATION : 20 MIN
TEMPS DE CUISSON : 18 MIN

**350 g de chocolat amer ou fort en cacao, brisé en morceaux de 2 cm**
**200 g de sucre**
**170 g de beurre doux + un peu pour la poêle**
**130 g de farine tous usages + un peu pour le moule**
**2 cuill. à café de levure chimique**
**¼ cuill. à café de sel**
**4 gros œufs**
**1 cuill. à soupe d'extrait de vanille naturelle**
**150 à 200 g de noix pilées ou de noix de pécan (facultatif)**

1. Faites fondre le chocolat, le sucre et le beurre pendant environ 10 minutes au bain-marie. Remuez de temps en temps, jusqu'à ce que le chocolat soit fondu et le mélange bien onctueux. L'eau ne doit surtout pas bouillir, sinon, le chocolat deviendra grumeleux. Laissez refroidir à température ambiante.
2. Préchauffez votre four à 180 °C (th. 6). Beurrez et farinez légèrement un grand plat.
3. Dans un saladier, mélangez la farine, la levure et le sel, puis réservez. Quand la préparation à base de chocolat aura refroidi, mixez-la à vitesse moyenne au batteur électrique, jusqu'à ce qu'elle devienne brillante. Ajoutez les œufs un à un, en mélangeant bien. Saupoudrez de vanille. Ajoutez le mélange farine/levure et continuez à amalgamer jusqu'à ce qu'il n'y ait plus aucune trace de blanc. Incorporez les noix si vous en utilisez. Puis versez la pâte dans le moule beurré et lissez la surface.
4. Laissez cuire environ 18 minutes, jusqu'à ce que les bords commencent à se détacher du moule et que le dessus soit cuit. La pointe d'un couteau doit ressortir ni sèche ni propre. Laissez refroidir complètement.
5. Coupez les brownies en rectangles. Ils seront plus faciles à couper si vous placez le moule 20 minutes au réfrigérateur. Vous pouvez les conserver jusqu'à 2 jours au frais, recouverts d'un film alimentaire.

# Edie

# La mangeuse d'hommes

de Wisteria Lane et le pire cauchemar de Susan Mayer ont le même visage : celui d'Edie Britt. La sulfureuse Edie entretient un rapport assez pervers avec la nourriture, qu'elle considère comme érotique. L'art culinaire est à ses yeux un piège délicieux et redoutable, dont elle use et abuse pour parvenir à ses fins. En effet, Edie croit dur comme fer que le chemin le plus direct menant au cœur d'un homme passe par son estomac. Ses menus n'ont donc pas grand-chose en commun avec ceux de ses voisines, car son objectif est différent : Edie cuisine pour séduire. La gastronomie est pour elle une arme de séduction massive, qu'elle manie avec virtuosité.

Bien entendu, cet arsenal ne se résume pas à ses talents culinaires, mais c'est une corde qu'elle est très fière d'avoir à son arc. Et si ses intentions sont aussi transparentes que ses chemisiers, les plats qu'elle sert à ses proies sont indubitablement des pièces maîtresses de son jeu. Personne d'autre ne s'est donné la peine de préparer des *Saucisses puttanesca* et une *Salade d'ambroisie* pour Mike Delfino quand il a emménagé dans le quartier. Pour être honnête, Susan aurait pu le faire. Mais, comme Edie prend un malin plaisir à le souligner : 1) ça ne lui serait jamais venu à l'idée ; 2) Susan est un danger public dans une cuisine et elle y aurait probablement mis le feu.

Avec plusieurs mariages à son actif, pas question de laisser faire le hasard : tout festin est parfaitement prémédité et élaboré dans les moindres détails, selon une tactique imparable. Il est généralement admis qu'il existe quatre saveurs : le sucré, l'amer, l'acide et le salé. Mais une experte comme Edie Britt a un petit secret, que la plupart

des gens ignorent. Un chercheur japonais a découvert que le glutamate contenu dans les algues était capable de développer une cinquième saveur, appelée *umami* au Japon, souvent traduit par « savoureux ». Mais les mots ne rendent pas justice à cette sensation gustative unique, qui provoque une explosion de tous les sens. (Et si je vous dis que les spécialistes du goût vont même jusqu'à la comparer au plaisir sexuel, vous comprendrez pourquoi Edie s'y intéresse de si près). Cette saveur puisant ses origines au cœur des océans, elle est présente dans de nombreux plats à base de poisson ou de fruits de mer. Et il se trouve justement qu'un grand nombre des plats favoris d'Edie possèdent cette saveur propre à ouvrir toutes sortes d'appétits…

Jetons donc un œil sur quelques-unes de ses recettes pour comprendre la séduction à la manière d'Edie Britt. Histoire de démarrer en fanfare, elle ouvre les réjouissances avec son grand classique, les *Huîtres pochées à la crème de champagne.* (Edie peut en témoigner : les huîtres sont vraiment aphrodisiaques.) Une fois qu'elle a attiré sa proie dans ses filets, elle joue sur du velours avec un plat tout simple comme ses *Spaghettis cheveux d'ange au saumon fumé.* Ce numéro-là lui a valu de grands succès, grâce à sa forte teneur en *umami.* Il est même fréquent qu'elle finisse les restes le lendemain, les hommes restant rarement à table jusqu'à la fin du repas… Au cas, très improbable, où les amuse-bouches et les entrées ne lui auraient pas permis de conclure, la belle sort alors l'artillerie lourde avec son fameux *Moelleux au chocolat*, auquel aucun homme ne saurait résister. Tous lui mangent alors littéralement dans la main et sont entièrement à sa merci.

Comme toute chose dans la vie de notre blonde incendiaire, un repas doit servir un but bien précis. Vous ne croyez quand même pas qu'elle s'échinerait devant ses fourneaux pour l'amour de l'art ! Mais attention, Edie vous recommande d'agir avec une extrême prudence avant de vous lancer dans ses recettes. Ce sont des armes. Et elle décline toute responsabilité en cas d'usage abusif de ces bombes culinaires, voire en cas d'explosions de succès intempestives.

# Camembert rôti dans sa boîte

Je vous conseille vivement d'expérimenter cette recette au deuxième rendez-vous, sur un homme déjà emballé…

RECETTE POUR 2 PERSONNES
TEMPS DE PRÉPARATION : 2 MIN
TEMPS DE CUISSON : 20 MIN

**1 camembert entier de 250 g dans une boîte en bois**
**1 baguette bien croustillante ou des *Parfaits crostinis* (voir recette p. 222)**

1. Préchauffez votre four à 95 °C (th. 1, très doux).
2. Ouvrez la boîte et retirez l'emballage, en prenant soin de ne pas abîmer la croûte. Replacez le camembert dans sa boîte et mettez-le au four sur une grille pendant 20 minutes. Le cœur doit être souple au toucher et le fromage légèrement chaud.
3. Remettez le couvercle sur la boîte. Vous ne l'ouvrirez qu'au moment de servir, en accompagnant de pain ou de crostinis.

# Parfaits crostinis

Ces tartines croustillantes font une base idéale pour toutes sortes de garnitures. Entières ou émiettées en croûtons, elles sont parfaites pour accompagner les salades, le fromage ou les soupes.

RECETTE POUR ENVIRON 24 CROSTINIS
TEMPS DE PRÉPARATION : 5 MIN
TEMPS DE CUISSON : 17 MIN

**1 baguette à la mie bien dense**
**Huile d'olive vierge extra**
**1 gousse d'ail, pelée et coupée en 2 (facultatif)**

1. Placez la grille de votre four à mi-hauteur et préchauffez-le à 180 °C (th. 6).
2. Coupez le pain en tranches de 1 centimètre d'épaisseur. Badigeonnez d'huile d'olive les 2 côtés. Vous pouvez les frotter avec la gousse d'ail si vous le souhaitez. Enfournez et laissez griller pendant 7 minutes sur une face. Retournez-les ensuite et laissez-les encore environ 10 minutes. Le pain doit être croustillant et légèrement doré des 2 côtés. Servez chaud ou froid. Les crostinis se conservent jusqu'à 2 jours à température ambiante dans un récipient hermétique.

VARIANTES

## Crostinis au fromage

Après les avoir retournés, parsemez uniformément les crostinis de parmesan râpé et maintenez encore au four pendant une dizaine de minutes.

## Crostinis aux herbes

Après avoir badigeonné les tranches de pain d'huile d'olive, saupoudrez-les d'une pincée d'herbes séchées, comme le thym, la sauge ou l'origan. Procédez ensuite comme indiqué ci-dessus.

# Salade de chèvre chaud aux herbes sur lit de roquette aux noix

Une salade de jeunes pousses de roquette est idéale pour cette recette (vous en trouverez en sachets au rayon frais). Mais une autre variété de petites feuilles bien vertes et fortes en goût, comme des pousses d'épinards ou du mesclun, fera aussi très bien l'affaire.

RECETTE POUR 2 GOURMANDS
TEMPS DE PRÉPARATION : 15 MIN
TEMPS DE CUISSON : 10 MIN

**POUR LE FROMAGE**

**1 bûche de fromage de chèvre au lait entier (120 g)**
**½ cuill. à café de thym séché**
**¼ de cuill. à café de sauge ou d'origan séchés**
**¼ de cuill. à café de poivre noir du moulin**

**POUR LA SALADE**

**2 endives blanches moyennes (env. 230 g)**
**40 g de jeunes pousses de roquette, de pousses d'épinard ou de mesclun**
**1 cuill. à soupe de vinaigre de vin rouge (env. 30 ml)**
**2 cuill. à café de moutarde ordinaire ou de moutarde à l'ancienne**
**Sel et poivre noir du moulin**
**40 g de noix grillées (voir l'encadré p. 251)**
**60 ml d'huile d'olive**

1. Mélangez le thym, la sauge et/ou l'origan avec le poivre dans une assiette. Roulez la bûche de chèvre dans ce mélange de manière à bien la recouvrir. Coupez-la ensuite en 4 rondelles épaisses, puis déposez-les à plat sur une plaque de cuisson. Vous pouvez les préparer à l'avance et les conserver jusqu'à 24 heures au réfrigérateur.

►►

2. Retirez ensuite les feuilles abîmées et coupez les endives en 4 dans le sens de la longueur. Ôtez le trognon et séparez les feuilles. Lavez soigneusement, puis essorez parfaitement, de préférence à l'aide d'une essoreuse à salade. Vous pouvez les conserver dans un sac en plastique, jusqu'à 8 heures dans le bac à légumes de votre réfrigérateur.

3. Préparez l'assaisonnement : fouettez le vinaigre, la moutarde et une pincée de sel et de poivre dans un bol de taille moyenne. Dans un petit hachoir ou un robot, mixez les noix avec l'huile d'olive jusqu'à ce que les fruits soient finement hachés et que l'huile se trouble. Incorporez ce mélange dans la préparation vinaigrée en fouettant doucement. Salez et poivrez à votre goût.

4. Pour servir : préchauffez votre four à 120 °C (th. 1 ou 2) et enfournez les rondelles de fromage pendant environ 10 minutes, jusqu'à ce qu'elles soient chaudes et légèrement moelleuses. Pendant ce temps, mêlez intimement la salade avec l'assaisonnement dans un grand saladier, de façon à bien enrober les feuilles de sauce. Répartissez dans 2 assiettes et déposez 2 rondelles de chèvre chaud aux herbes sur le dessus. Dégustez immédiatement.

# Spaghettis cheveux d'ange au saumon fumé

SANS BALANCE, TENEZ LES PÂTES À LA VERTICALE ET SERREZ-LES ENTRE VOS DOIGTS : LE DIAMÈTRE DOIT ÊTRE LÉGÈREMENT SUPÉRIEUR À UNE PIÈCE DE 2 EUROS.

RECETTE POUR 2 PERSONNES EN ENTRÉE
TEMPS DE PRÉPARATION : 5 MIN
TEMPS DE CUISSON : 13 MIN

**Sel**
**30 g de beurre doux**
**3 cuill. à soupe de ciboulette ou d'aneth finement hachés**
**120 g de spaghettis « cheveux d'ange » (capellini)**
**2 tranches de saumon fumé (env. 60 g), détaillées en menus morceaux**
**Sel et poivre noir du moulin**
**2 quartiers de citron (sans les pépins)**

1. Portez à ébullition un grand faitout d'eau salée.

2. Pendant ce temps, mettez le beurre ainsi que l'herbe de votre choix dans un petit bol, et réservez. Plongez les pâtes dans l'eau bouillante et laissez cuire environ 3 minutes, jusqu'à ce qu'elles soient *al dente*. À l'aide d'une cuillère à soupe, versez 60 millilitres du liquide de cuisson dans le bol avec le beurre et les herbes, puis égouttez les pâtes.

3. Remettez ensuite les pâtes dans le faitout, hors du feu. Versez le contenu du bol sur les pâtes et mélangez bien. Ajoutez les dés de saumon, mélangez de nouveau, puis salez et poivrez à votre goût. Répartissez les pâtes dans 2 assiettes creuses préalablement chauffées, décorez d'un quartier de citron et servez aussitôt.

# Huîtres pochées à la crème de champagne

Si vous ne savez pas ouvrir les huîtres (ou si vous ne voulez pas gâcher votre manucure), faites appel à votre charme. Demandez à l'écailler de les ouvrir pour vous, de les sortir de leurs coquilles avec leur jus et de vous réserver les coquilles bombées. À vous de jouer pour la mise en scène finale !

RECETTE POUR 2 PERSONNES (ÉVIDEMMENT !)
TEMPS DE PRÉPARATION : 5 MIN
TEMPS DE CUISSON : 20 MIN

**15 g de beurre doux**
**300 g de pousses d'épinard passées sous l'eau et parfaitement séchées**
**Sel et poivre noir du moulin**
**60 g de crème fraîche épaisse**
**60 ml d'un bon champagne brut (le reste pour accompagner le plat)**
**8 huîtres détachées de leurs coquilles : conserver le jus et la coquille bombée**

1. Faites fondre le beurre à feu modéré dans une sauteuse de taille moyenne, jusqu'à ce qu'il commence à mousser. Ajoutez les épinards et faites-les revenir tout en remuant, jusqu'à ce qu'ils « tombent » et se colorent d'un beau vert brillant. Attention à ne pas trop les faire cuire. Assaisonnez légèrement de sel et de poivre à votre convenance, puis réservez. (Vous pouvez préparer les épinards jusqu'à 1 heure à l'avance.)

2. Dans une petite casserole, versez la crème fraîche et le champagne. Filtrez le jus des huîtres dans la casserole et réservez la chair. Portez à ébullition, puis faites réduire à feu doux jusqu'à ce que la sauce soit assez épaisse pour enrober une cuillère. Il ne doit rester que 3 ou 4 cuillères à soupe de sauce au champagne dans la casserole. (Vous pouvez préparer la sauce jusqu'à 30 minutes avant de servir.)

3. Au moment de servir : réchauffez les épinards à feu doux. Mettez la casserole contenant la crème de champagne sur feu modéré, ajoutez les huîtres et pochez-les pendant environ 2 minutes, jusqu'à ce que les bords commencent à se recroqueviller. Elles ne doivent pas être entièrement cuites. Garnissez ensuite les coquilles d'un lit d'épinard, puis déposez une huître dans chaque coquille. Nappez d'une cuillère de crème de champagne et servez aussitôt.

POUR SERVIR, PRÉSENTEZ LES HUÎTRES DANS UNE ASSIETTE SUR UN LIT DE GROS SEL SUFFISAMMENT ÉPAIS POUR BIEN CALER LES COQUILLES.

# Saucisses puttanesca

En italien, l'adjectif *puttanesca* se rapporte aux femmes de petite vertu. C'est aussi le nom d'une sauce pour les pâtes à base de tomates, d'ail, d'anchois, d'olives et de câpres. Ce sont des ingrédients que les Italiennes ont toujours sous la main, ce qui leur permet de régaler leurs hommes sans jamais les quitter des yeux. Comme je les comprends !

RECETTE POUR 2 PERSONNES EN PLAT PRINCIPAL
OU POUR 4 PERSONNES, SERVIE AVEC DES PÂTES
TEMPS DE PRÉPARATION : 10 MIN
TEMPS DE CUISSON : ENVIRON 25 MIN

**4 petites saucisses épicées, douces ou piquantes (env. 360 g)**
**2 cuill. à soupe (30 ml) d'huile d'olive vierge extra**
**2 gousses d'ail moyennes, finement émincées**
**3 filets d'anchois à plat, grossièrement hachés**
**8 olives noires italiennes ou grecques, dénoyautées et hachées (env. 30 g)**
**1 cuill. à soupe de câpres « Non pareilles » égouttées**
**60 ml de vin rouge sec**
**1 petite boîte (400 g) de tomates concassées avec leur jus**
**Poivre noir du moulin**
**2 cuill. à soupe de persil plat haché**

1. Piquez les saucisses sur toute leur longueur avec une fourchette. Faites chauffer l'huile sur feu doux dans une sauteuse à fond épais. Faites-y revenir les saucisses pendant environ 8 minutes, en les retournant pour qu'elles soient bien dorées de tous les côtés. (Selon leur grosseur, elles ne seront peut-être pas entièrement cuites à ce stade mais elles finiront de cuire dans la sauce).

2. Ne conservez que 2 cuillères à soupe de graisse dans la poêle. Ajoutez l'ail et les anchois en les écrasant à la fourchette et poursuivez la cuisson pendant 2 minutes. Incorporez alors les olives ainsi que les câpres, et laissez cuire encore 1 ou 2 minutes.

3. Versez le vin et portez à ébullition en maintenant à feu vif jusqu'à complète évaporation. Ajoutez les tomates et attendez la reprise de l'ébullition. Déposez enfin les saucisses dans la sauce, baissez le feu et laissez mijoter à couvert pendant

10 minutes, en les tournant de temps en temps. Rectifiez l'assaisonnement si besoin. Attention : les olives, les anchois et les câpres étant déjà salés, il est peu probable que vous deviez ajouter du sel, mais un petit tour de poivre du moulin sera le bienvenu. Parsemez les saucisses de persil haché et servez bien chaud dans les assiettes, en les nappant généreusement de sauce.

VARIANTE

## En sauce pour les pâtes

Retirez la sauteuse du feu. Coupez les saucisses en tronçons de 2 centimètres, puis remettez-les dans la sauce. Vous aurez suffisamment de sauce pour accompagner 250 grammes de pâtes, soit 2 portions très généreuses.

# Poulet rôti farci aux herbes et au citron

RECETTE POUR 4 PERSONNES
TEMPS DE PRÉPARATION : 7 MIN
TEMPS DE CUISSON : 1 H

**1 poulet fermier d'environ 2 kg**
**Sel et poivre noir du moulin**
**1 citron coupé en quartiers**
**2 ou 3 branches de romarin, de thym ou de sauge (ou des 3 à la fois)**
**6 gousses d'ail avec leur peau**

1. Retirez et jetez les abats et le cou du poulet. Rincez-le bien sous l'eau courante, égouttez-le, puis essuyez-le soigneusement avec du papier absorbant. Salez et poivrez généreusement le poulet, à l'intérieur comme à l'extérieur, puis farcissez-le avec les quartiers de citron, les herbes et les gousses d'ail dans leur peau. Placez-le ensuite dans un plat à rôtir où il puisse tenir confortablement, la carcasse tournée vers le haut. Puis laissez 30 minutes à température ambiante.
2. Pendant ce temps, préchauffez votre four à 230 °C (th. 8). Enfournez ensuite le poulet et laissez cuire pendant environ 1 heure, jusqu'à ce qu'il soit bien doré et que plus aucune trace de sang ne subsiste à l'articulation de la cuisse. Laissez reposer 10 minutes avant de servir.
3. Présentez le poulet découpé et dressé sur un plat de service.

## Temps de cuisson et température

Le meilleur moyen de s'assurer de la cuisson d'une volaille, c'est de prendre sa température. Il existe pour cela des thermomètres culinaires à sonde. La cuisson d'une volaille est complète – et donc sans risque sanitaire – lorsque le thermomètre plongé dans la partie la plus charnue de la cuisse, autour de l'os, affiche 75 °C.

# Salade d'ambroisie

Il ne s'agit pas ici de la nourriture des dieux de l'Olympe, mais d'une voluptueuse salade de fruits – très réputée aux États-Unis – à base de quartiers d'orange et de noix de coco râpée. Pour les puristes, elle ne contient que ces deux seuls ingrédients. Mais certains y ajoutent parfois des grains de raisin coupés en deux et épépinés, de fines rondelles de banane ou d'autres fruits. Je vous donne ici la recette originale, qui est celle que je préfère, personnellement, parce qu'elle m'a très bien réussi jusqu'ici...

RECETTE POUR 2 PERSONNES
TEMPS DE PRÉPARATION : 15 MIN + RÉFRIGÉRER 4 H

**3 oranges de Valence**
**Sucre extrafin (facultatif)**
**40 g de noix de coco râpée (voir la note ci-dessous)**

1. Coupez les 2 extrémités des oranges. Posez les fruits à plat sur une planche à découper et, à l'aide d'un couteau d'office, retirez la peau épaisse ainsi que le plus possible de peau blanche en prenant soin de ne pas abîmer la pulpe. Pelez ensuite les quartiers à vif au-dessus d'un bol, en récupérant le jus.

2. Disposez une couche de quartiers d'orange dans un petit saladier en verre ou dans 2 coupes individuelles. Saupoudrez légèrement de sucre si vous voulez. Recouvrez ensuite d'une couche de noix de coco, et ainsi de suite, en alternant les couches jusqu'à épuisement des ingrédients. Terminez en arrosant du jus d'orange que vous avez récupéré. Couvrez et réfrigérez au moins 4 heures, mais pas plus de 24 heures. Servez glacé.

**Note :** Vous trouverez peut-être des copeaux de noix de coco nature (sans sucre ajouté) dans certains magasins bio ou magasins spécialisés (voir les Sources p. 266). Les copeaux donneront de l'allure à votre salade d'ambroisie, ainsi qu'une texture bien plus intéressante pour les papilles.

# LA LISTE DE COURSES D'EDIE

Le beau gosse du cabinet de kiné

Le blond de la boucherie

Le nouveau livreur UPS

L'ancien livreur UPS

Faux-filet

Crème chantilly

Barres protéinées

Mutivitamines

Pain aux céréales

Sauce chocolat

Légumes frais

Tarte aux fraises

Salade en sachet

Sauce salade allégée

Gambas

Tranches de dinde froide

Orangina light

Eau minérale Fuji

Œufs

Cabernet sauvignon

Saucisses végétariennes épicées

Corona light

Champagne

Flûtes à champagne jetables

Draps en coton égyptien 800 fils

Vitamine B12

# Moelleux au chocolat

Ce grand classique est mon arme fatale. Vous croyez que c'est difficile d'obtenir un gâteau bien croustillant à l'extérieur avec un cœur de chocolat coulant à l'intérieur, mais c'est beaucoup plus simple qu'il n'y paraît. En fait, le plus compliqué, c'est de le démouler, et si vous avez l'intention de le déguster en bonne compagnie, je vous conseille un peu d'entraînement pour être fin prête à l'heure H.

RECETTE POUR 2 PERSONNES
(VOUS POUVEZ FACILEMENT MULTIPLIER LES QUANTITÉS)
TEMPS DE PRÉPARATION : 10 MIN
TEMPS DE CUISSON : 12 MIN

**60 g de beurre doux + une noisette pour les moules**
**50 g de sucre en poudre + un peu pour les moules**
**60 g de chocolat à cuire amer, cassé en morceaux de 1 cm**
**2 gros œufs**
**2 cuill. à soupe de farine (env. 15 g)**

1. Placez la grille de votre four à mi-hauteur et préchauffez celui-ci à 205 °C (th. 7). Beurrez et saupoudrez de sucre le fond ainsi que les côtés de 2 petits moules en céramique ou en verre, puis placez-les sur une plaque de cuisson.

2. Faites fondre le beurre et le chocolat au bain-marie dans une grande casserole en remuant de temps en temps, jusqu'à obtenir une pâte lisse et homogène. Retirez du feu et réservez.

3. Dans un saladier, travaillez les œufs et le sucre au batteur à vitesse maximum, jusqu'à ce que le mélange blanchisse et devienne mousseux ; il doit tripler de volume. Versez-y ensuite le chocolat fondu et tamisez la farine par-dessus. Mélangez intimement tous les ingrédients à l'aide d'une spatule en caoutchouc souple.

4. Répartissez ensuite la pâte dans les 2 moules, enfournez et faites cuire environ 12 minutes, jusqu'à ce que les gâteaux commencent à gonfler et à se fendiller sur le dessus. Sortez du four et laissez reposer 2 minutes.

5. Servez ces gâteaux chauds ou tièdes. Et sachez que, plus ils refroidiront, moins le cœur de chocolat sera coulant. Mais même solidifiés, ils restent délicieux. Vous pouvez les présenter dans leurs moules (c'est divin à la petite cuillère...)

▶▶

ou, pour les plus audacieuses, tenter de les démouler. Le cœur étant liquide, le gâteau s'affaissera un peu, mais ne vous inquiétez pas : le cœur de chocolat qui coulera dans l'assiette lui fera vite oublier ce léger défaut.

**Note :** Vous pouvez préparer la pâte à l'avance et la conserver au réfrigérateur jusqu'à 24 heures. Si c'est le cas, faites cuire vos gâteaux pendant 15 minutes dans un four à 190 °C (th. 5), puis procédez comme indiqué précédemment.

## Edie a du nez

Ces dernières années, plusieurs études ont été menées sur les odeurs et leurs effets. Il est ainsi scientifiquement prouvé que certaines odeurs sont capables d'augmenter l'afflux sanguin et donc d'améliorer l'érection. La cannelle a tout d'abord été élue championne toutes catégories. Mais des études plus récentes ont démontré une amélioration de plus de 40 % de l'afflux sanguin chez des sujets dont on a testé la réaction à l'odeur de lavande et à celle de la tarte au potiron. Il va sans dire que, dès que Edie a eu vent de ces résultats – et vous pouvez lui faire confiance pour se tenir au courant de ce genre de choses –, elle a aussitôt ajouté la tarte au potiron à ses menus et opté pour une gamme de produits de bain à la lavande.

# Sundae maison (glace en option)

Il peut m'arriver de faire l'impasse sur la glace et de me contenter de la garniture. Mais c'est quand même meilleur avec de la glace...

RECETTE POUR 2 PERSONNES GOURMANDES
TEMPS DE PRÉPARATION : 7 MIN
TEMPS DE CUISSON : 15 MIN

SAUCE AUX NOIX CARAMÉLISÉES (POUR 375 ML)

**100 g de sucre en poudre**
**125 ml de sirop d'érable**
**225 g de cerneaux de noix grossièrement hachés**

SAUCE CHOCOLAT EXPRESS (POUR 180 ML)

**120 g de chocolat à cuire**
**125 ml de crème fraîche épaisse**

POUR DÉCORER

**Glace(s) : parfums au choix**
**Crème chantilly**
**Cerises confites**
**Vermicelles arc-en-ciel ou perles multicolores**

1. Pour la sauce aux noix caramélisées : mettez le sucre dans une casserole avec 180 millilitres d'eau et portez à ébullition sur feu modéré en remuant. Ajoutez le sirop d'érable et laissez cuire 3 minutes après la reprise de l'ébullition. Incorporez alors les noix hors du feu, sans cesser de mélanger. Vous pouvez conserver ces noix caramélisées à température ambiante dans un récipient fermé.

2. Pour la sauce chocolat : cassez le chocolat dans une casserole à fond épais. Versez la crème et faites chauffer à feu très doux jusqu'à ce qu'il ait fondu. Fouettez bien le mélange jusqu'à obtention d'une sauce lisse et brillante. Servez chaud, mais pas brûlant. (Vous pouvez préparer cette sauce à l'avance et la laisser à température ambiante dans la casserole avec un couvercle. Réchauffez à feu doux. Pour une conservation plus longue, réservez dans une boîte hermétique au réfrigérateur).

3. Sortez les glaces du congélateur environ 10 minutes avant de servir. Servez des boules de glace dans des coupes et nappez-les avec l'une ou l'autre sauce, voire les 2. Décorez ensuite selon votre fantaisie.

# Les Voisins

# Bien sûr,

les *Desperate Housewives*
sont les stars de Wisteria
Lane, mais croyez-le ou non,
plusieurs autres personnes
habitent le même quartier.
Ces voisins gravitent autour
de nos maîtresses de maison
préférées, parfois pour le
meilleur et souvent pour
le pire. Voici une sélection
de leurs recettes favorites.

# Mrs. Huber

Les habitants de Wisteria Lane savent un certain nombre de choses sur feu Martha Huber : elle était fouineuse, avait l'habitude d'emprunter des objets qu'elle n'avait aucunement l'intention de rendre à leurs propriétaires, et elle pratiquait le chantage sur la regrettée Mary Alice Young (et encore, ce n'est que la partie visible de l'iceberg). Ce que personne ne savait en revanche, c'est qu'elle aimait beaucoup cuisiner. Pas même son défunt mari, qui aurait été bien étonné d'apprendre que sa femme se prenait pour un véritable cordon-bleu. Il est vrai qu'il n'avait pas une très haute opinion de son épouse, laquelle ne lui a donné que des maux d'estomac, et généralement pas à cause de ses petits plats.

Pourtant, Martha ne se défendait pas si mal dans une cuisine, et l'objet contondant qui fut la cause de sa mort lui servait même à réaliser sa recette fétiche : le *Smoothie à la fraise.*

# Smoothie à la fraise

RECETTE POUR 1 SMOOTHIE
TEMPS DE PRÉPARATION : 7 MIN

**250 g de fraises entières congelées**
**125 g de yaourt nature ou à la vanille**
**125 ml de jus d'orange**
**Édulcorant de synthèse (type aspartame), facultatif**

Mélangez les fraises, le yaourt et le jus d'orange dans un blender (celui de Susan n'a pas porté chance à Martha !). Mixez jusqu'à ce que les fraises soient grossièrement hachées. Réglez la vitesse sur maximum, ajoutez de l'eau par petites quantités, jusqu'à obtention d'une consistance bien lisse mais très épaisse. Il vous faudra entre 3 et 6 cuillères à soupe d'eau. Édulcorez si ça vous chante, car, comme disait Martha Huber avec son petit sourire hypocrite : « Le sucre adoucit les mœurs. » Versez dans un grand verre à limonade et buvez sans tarder.

# Gâteaux à la vanille

RECETTE POUR 2 GÂTEAUX DE 23 CM DE DIAMÈTRE
OU POUR 16 À 24 MINI-GÂTEAUX (VOIR NOTE P. 245)
TEMPS DE PRÉPARATION : 13 MIN
TEMPS DE CUISSON : 30 MIN

**240 g de beurre doux ramolli + une noisette pour les moules**
**275 g de farine + un peu pour les moules**
**2 cuill. à café de levure chimique**
**½ cuill. à café de sel**
**300 g de sucre en poudre**
**4 gros œufs placés à température ambiante**
**2 cuill. à café d'extrait de vanille**
**160 ml de lait**

1. Placez la grille à mi-hauteur dans votre four et préchauffez celui-ci à 180 °C (th. 6). Beurrez généreusement 2 moules à manqué de 23 centimètres de diamètre. Ajoutez 1 grosse cuillère de farine dans l'un des moules et répartissez bien en le faisant tourner de manière à ce que l'intérieur soit légèrement mais uniformément fariné. Avec l'excès de farine, farinez le deuxième moule de la même façon.

2. Tamisez la farine, la levure et le sel dans un saladier, puis réservez. Travaillez le beurre et le sucre dans un autre récipient à l'aide d'un batteur électrique réglé sur la vitesse maximum pendant 5 minutes, jusqu'à obtention d'un mélange aéré et mousseux. Incorporez les œufs un à un, puis ajoutez la vanille.

3. Incorporez la moitié des ingrédients secs que vous aviez réservés (farine, levure et sel). Ajoutez le lait puis le reste des ingrédients secs, et mélangez bien, mais sans excès (il doit rester quelques traces de farine). Répartissez ensuite la pâte dans vos 2 moules, en raclant bien le fond du récipient.

4. Enfournez et laissez cuire pendant environ 30 minutes. Le dessus des gâteaux doit être légèrement doré. Vérifiez la cuisson en plongeant la pointe d'un couteau au centre : elle doit ressortir propre. Laissez ensuite refroidir 15 minutes sur une grille.

5. Démoulez vos gâteaux et laissez-les refroidir complètement avant de servir ou de procéder au glaçage (voir la recette de *Glaçage au chocolat*, p. 246).

## Note:

**POUR FAIRE DES MINI-GÂTEAUX :**

Si vous utilisez des caissettes en papier plissé, la pâte que vous avez préparée vous permettra de faire 20 mini-gâteaux bombés ou 24 mini-gâteaux plats. Sinon, il existe aussi des petits moules individuels en fer-blanc qui peuvent se poser directement sur une plaque de cuisson. Ces modèles peuvent contenir davantage de pâte que les petites caissettes en papier traditionnelles. Vous aurez alors seulement de quoi réaliser 16 mini-gâteaux. Quelle que soit l'option choisie, remplissez vos moules aux trois quarts et enfournez. Laissez cuire environ 20 minutes pour un moule à muffins garni de caissettes et 5 minutes de plus pour les moules individuels.

# Glaçage au chocolat

Si elle était encore de ce monde, Martha Huber vous aurait conseillé de procéder au glaçage dans la foulée de la préparation de vos gâteaux, puis de les réfrigérer.

RECETTE POUR 500 ML DE PRÉPARATION
SOIT DE QUOI GLACER 2 GÂTEAUX DE 23 CM
OU L'ÉQUIVALENT DE 16 À 24 MINI-GÂTEAUX
TEMPS DE PRÉPARATION : 10 MIN
TEMPS DE CUISSON : 5 MIN

**240 g de chocolat à cuire de bonne qualité**
**180 g de beurre doux ramolli**
**75 g de sucre glace**
**1 cuill. ½ à soupe d'extrait de vanille**

1. Cassez le chocolat en gros morceaux et faites-le fondre aux trois quarts au bain-marie dans la partie supérieure d'un cuit-vapeur (ou dans une grande casserole) rempli d'eau frémissante. Remuez de temps en temps, et finissez de faire fondre le chocolat en mélangeant hors du feu.

2. Incorporez le beurre en mixant au batteur électrique sur vitesse maximum jusqu'à obtention d'un mélange homogène. Ajoutez le sucre glace et l'extrait de vanille et continuez de battre à faible vitesse, jusqu'à ce que votre mélange s'éclaircisse légèrement et prenne une consistance crémeuse. Procédez aussitôt au glaçage et placez vos gâteaux au réfrigérateur. Sortez-les 30 à 45 minutes à l'avance pour les servir à température ambiante.

# Cake aux dattes et aux noix

Martha était la seule habitante de Wisteria Lane à connaître encore la traditionnelle recette du *Cake aux dattes et aux noix*. Sa disparition prématurée vous offre une chance de ressusciter ce vieux classique américain.

RECETTE POUR 1 CAKE D'ENVIRON 12 TRANCHES
TEMPS DE PRÉPARATION : 10 MIN
TEMPS DE CUISSON : 1 H 7 MIN

**Huile végétale de cuisson en spray**
**350 g de dattes séchées, dénoyautées et hachées**
**1 cuill. à café de bicarbonate de soude**
**220 g de mélasse**
**240 g de farine**
**110 g de noix hachées**
**1 cuill. à café de levure chimique**
**1 gros œuf**
**100 g de sucre en poudre**
**45 g de cassonade ou de sucre roux**

1. Placez la grille à mi-hauteur du four et préchauffez à 180 °C (th. 6). Huilez généreusement votre moule à cake.

2. Mélangez les dattes et le bicarbonate de soude dans un saladier. Mettez la mélasse dans une casserole avec 160 millilitres d'eau, portez à ébullition, puis versez sur les dattes. Le liquide formera une mousse abondante, c'est normal. Laissez refroidir complètement.

3. Mélangez la farine, les noix et la levure dans un grand bol, et réservez. Battez les œufs jusqu'à obtenir une consistance mousseuse, puis versez sur les dattes. Incorporez ensuite le sucre blanc et le sucre roux, puis la farine, les noix et la levure. Mélangez l'ensemble.

4. Versez la pâte dans le moule et enfournez. Laissez cuire environ 1 heure, jusqu'à ce que le cake ait bien levé et que la pointe d'un couteau plongée en son cœur ressorte propre. Retirez du four et laissez refroidir.

5. Démoulez le cake. Enveloppez-le de film alimentaire pour le conserver jusqu'à 3 jours à température ambiante. Il se conservera 1 mois enveloppé dans du papier d'aluminium au congélateur.

MD

# Mike

Mike Delfino, le beau gosse et accessoirement le plombier du quartier, est une vraie crème d'homme (qui porte néanmoins une arme). Mais il n'a guère le temps, ni l'occasion, de se mettre aux fourneaux. C'est qu'il a été très occupé ces derniers temps : entre les mois passés à rechercher son ex-femme, à apprivoiser son nouveau fils et à gérer son aventure en dents de scie avec Susan Mayer, le beau Mike ne peut pas être au four et au moulin. Cela dit, en bon gars du Tennessee, Mike raffole des traditionnelles grillades au barbecue. Le plat dont il est le plus fier, c'est son fameux *Faux-filet à la fondue d'oignons.* Et comme c'est un gentil garçon, toujours prêt à partager, voici sa recette tout droit sortie de Wisteria Lane, spécialement pour vous.

# Faux-filet à la fondue d'oignons

RECETTE POUR 2 PERSONNES (SI RENDEZ-VOUS AMOUREUX)
OU POUR 1 HOMME CÉLIBATAIRE (À MULTIPLIER SI DÎNER ENTRE POTES)
TEMPS DE PRÉPARATION : 5 MIN
TEMPS DE CUISSON : 20 MIN

**1 faux-filet de bœuf de 400 g, d'env. 3 cm d'épaisseur, bien dégraissé**
**Sel et poivre noir du moulin**
**Huile végétale**
**1 gros oignon jaune finement émincé (env. 100 g)**
**125 ml de bière (n'importe laquelle)**

1. Salez et poivrez généreusement des 2 côtés du faux-filet en massant la viande pour bien l'imprégner et laissez reposer 30 minutes à température ambiante.

2. Versez assez d'huile dans une grande poêle pour en recouvrir le fond et faites chauffer sur feu vif jusqu'à ce qu'elle commence à fumer. Saisissez le faux-filet en faisant bien attention à le faire adhérer à la poêle sur toute sa surface. Mettez un couvercle pour réduire les projections d'huile et faites griller pendant 5 minutes. Réduisez un peu le feu, retournez la viande et faites griller l'autre côté jusqu'à obtenir une cuisson qui vous convienne (comptez environ 4 minutes pour une cuisson à point). Placez la viande dans une assiette.

3. Jetez la matière grasse qui reste dans la poêle et remettez celle-ci sur le feu. Ajoutez les oignons et assaisonnez légèrement de sel et de poivre. Faites-les revenir en remuant pendant environ 3 minutes, jusqu'à ce qu'ils commencent à se colorer. Versez alors la bière et laissez réduire jusqu'à évaporation quasi totale. Retirez du feu et ajoutez aux oignons les sucs de cuisson de la viande, récupérés dans l'assiette.

4. Découpez le faux-filet en tranches. Répartissez-les dans 2 assiettes et déposez la fondue d'oignons dessus. Servez aussitôt.

# Félicia

Félicia Tillman est surtout connue dans le quartier en tant que sœur de Martha Huber – qualité dont elle se vante rarement. Interrogez-la plutôt sur sa carrière d'infirmière ou sur les hommes qu'elle a failli épouser, et elle se montrera légèrement plus loquace, bien que, contrairement à sa sœur, elle soit loin d'être bavarde. Mais si, d'aventure, la conversation glisse sur ses talents culinaires (ce qui n'arrive curieusement jamais), elle ne se fera pas prier pour vous raconter comment elle a remporté un concours de cuisine local avec son *Cake noix-banane.* Et si, par chance, elle est dans un bon jour (et que vous n'avez pas mentionné Paul Young), elle vous donnera peut-être le secret de sa *Crème dessert à la vanille* ou celui de sa *Crème dessert au double chocolat.*

# Cake noix-banane

RECETTE POUR 1 CAKE D'ENVIRON 20 CM
(SOIT 10 TRANCHES ÉPAISSES)
TEMPS DE PRÉPARATION : 20 MIN
TEMPS DE CUISSON : 1 H 12 MIN

POUR OBTENIR DES NOIX GRILLÉES, ÉTALEZ-LES SUR UNE PLAQUE DE CUISSON ET PASSEZ-LES AU GRIL PENDANT ENVIRON 12 MIN DANS UN FOUR À 180 °C (TH. 6), EN LES RETOURNANT JUSQU'À CE QU'ELLES SOIENT DORÉES.

**Huile végétale de cuisson en spray**
**240 g de farine + un peu pour le moule**
**3 grosses bananes très mûres**
**2 cuill. à café de jus de citron fraîchement pressé (env. 10 ml)**
**1 cuill. ½ à café de levure chimique**
**½ cuill. à café de sel**
**150 g de noix grillées grossièrement hachées**
**120 g de beurre doux ramolli**
**150 g de sucre en poudre**
**2 gros œufs**
**60 ml de lait**
**1 cuill. à café (5 ml) d'extrait de vanille ou 1 cuill. à soupe (15 ml) de rhum**

1. Huilez au spray un moule à cake de 20 x 10 centimètres de diamètre et de 10 centimètres de profondeur. Versez 1 cuillère à soupe de farine et répartissez-la uniformément au fond et sur les côtés du moule en l'agitant dans tous les sens. Placez la grille à mi-hauteur dans votre four et préchauffez à 180 °C (th. 6).

2. Pelez les bananes, coupez-les en 3 et mettez-les dans le bol d'un robot avec le jus de citron. Mixez jusqu'à obtention d'une purée bien lisse. Réservez 225 grammes de purée de bananes. S'il en reste au moins 50 grammes, vous aurez de quoi glacer votre cake (voir p. 252).

3. Tamisez la farine et la levure dans un saladier avec les noix et mêlez intimement, de manière à bien fariner les noix sur toutes leurs faces.

**4.** Dans un autre récipient, travaillez le sucre et le beurre au batteur électrique, jusqu'à obtention d'une texture mousseuse et aérée. Ajoutez les œufs un à un. Mettez ensuite le lait et la vanille dans le robot avec la purée de bananes, et mixez jusqu'à obtention d'une pâte bien lisse. Versez ensuite cette préparation sur les noix farinées et mélangez jusqu'à ce que toute la farine soit incorporée. Versez enfin la pâte dans le moule en raclant bien le fond du bol, enfournez et faites cuire pendant environ 1 heure. Vérifiez la cuisson en plongeant au milieu du cake une pique en bois, qui doit ressortir propre.

**5.** Laissez refroidir 15 minutes sur une grille, puis démoulez le cake sur la grille et laissez refroidir entièrement avant de procéder au glaçage.

**6.** Pour le glaçage : battez le reste de purée de bananes avec du sucre glace jusqu'à obtention d'une consistance suffisamment ferme pour enrober une cuillère. Il vous faudra environ 35 grammes de sucre glace pour 50 grammes de purée. Étalez la crème ainsi obtenue sur le dessus du cake, et laissez-la couler sur les côtés. Avec ou sans glaçage, servez ce cake en tranches épaisses. Bien enveloppé, il se conservera jusqu'à 3 jours à température ambiante.

DES TRANCHES DE CAKE UN PEU RASSIS (ET SANS GLAÇAGE) SERONT DÉLICIEUSES PASSÉES AU GRILLE-PAIN.

# Macarons aux amandes

Ces petits gâteaux, délicieusement collants sous la dent, sont très faciles à réaliser, surtout si vous utilisez une pâte d'amande souple et fraîche. Si celle-ci est trop dure, essayez de la râper pour l'incorporer plus facilement.

RECETTE POUR ENVIRON 24 MACARONS
TEMPS DE PRÉPARATION : 10 MIN
TEMPS DE CUISSON : 30 À 35 MIN

**150 g de sucre extrafin**
**30 g d'amandes effilées**
**2 cuill. à soupe de Maïzena (env. 15 g)**
**Les blancs de 2 gros œufs**
**200 g de pâte d'amande coupée en petits morceaux**
**Cerises confites coupées en lamelles ou amandes finement hachées, pour décorer (facultatif)**

1. Mettez les amandes effilées, le sucre et la Maïzena dans le bol d'un robot, et mixez pour obtenir une poudre fine. Incorporez les blancs d'œufs en continuant de mixer jusqu'à obtention d'une pâte lisse. Ajoutez enfin la pâte d'amande et mixez encore jusqu'à complète incorporation. Transvasez dans un récipient avec un couvercle et réfrigérez pendant au moins 4 heures et jusqu'à 3 jours.

2. Préchauffez le four à 150 °C (th. 4). Utilisez un moule antiadhésif ou une plaque de cuisson recouverte de papier sulfurisé. Déposer 1 cuillère à soupe de pâte sur votre plaque pour former chaque macaron.) Décorez les biscuits d'une lamelle de cerise confite ou saupoudrez-les légèrement de poudre d'amande, si vous le désirez.

3. Enfournez et laissez cuire entre 30 et 35 minutes. Vos biscuits doivent être légèrement dorés par endroits et très légers dans la main. Placez-les aussitôt sur une grille et laissez refroidir entièrement avant de servir. Ces macarons se conservent jusqu'à 5 jours à température ambiante dans une boîte hermétique.

# Crème dessert double chocolat

RECETTE POUR 4 PERSONNES
OU DE QUOI GARNIR LES NAPOLÉONS (P. 256)
TEMPS DE PRÉPARATION : 15 MIN
TEMPS DE CUISSON : 12 MIN

**500 ml de lait**
**2 cuill. à soupe de Maïzena (env. 30 g)**
**100 g de sucre en poudre**
**75 g de cacao amer en poudre**
**2 gros œufs**
**2 cuill. à café d'extrait de vanille (env. 30 ml)**
**115 g de chocolat à cuire grossièrement râpé**

1. Mélangez 60 millilitres de lait avec la Maïzena dans un petit bol et réservez.

2. Battez le reste du lait avec le sucre et le cacao dans une grande casserole de 2 litres à fond épais. Mettez sur feu assez doux et continuez de battre jusqu'à ce que le lait commence à fumer et que le sucre et le cacao soient parfaitement dissous. Versez le contenu du bol à base de Maïzena dans la casserole et poursuivez la cuisson jusqu'à ce que le mélange frémisse, en prenant soin qu'il n'attache pas. Baissez le feu et laissez cuire 1 minute à feu doux en remuant constamment.

3. Retirez du feu. Battez les œufs et l'extrait de vanille dans un petit saladier. Versez une louche de la préparation précédente sur les œufs, sans cesser de battre. Incorporez ensuite ce mélange dans la casserole, remettez sur le feu et laissez cuire 1 minute en remuant bien. Retirez du feu et incorporez le chocolat à cuire râpé hors du feu jusqu'à ce qu'il soit uniformément distribué dans la crème.

4. Versez dans des coupes individuelles ou dans un saladier de service et recouvrez de film alimentaire, en l'ajustant à la surface de la crème pour éviter la formation d'une peau. Réfrigérez et servez bien frais.

# Crème dessert à la vanille

RECETTE POUR 4 PERSONNES
OU DE QUOI GARNIR LES NAPOLÉONS (P. 256)
TEMPS DE PRÉPARATION : 11 MIN
TEMPS DE CUISSON : 12 MIN

**500 ml de lait**
**250 ml de crème fraîche liquide**
**100 g de sucre**
**4 cuill. à soupe de Maïzena (env. 30 g)**
**2 gros œufs**
**2 jaunes d'œuf**
**1 cuill. à soupe d'extrait de vanille (env. 15 ml)**

1. Faites chauffer le lait et la crème sur feu assez doux dans une casserole moyenne, jusqu'à ce que le liquide commence à fumer.

2. Pendant ce temps, mêlez intimement le sucre et la Maïzena dans un saladier, puis incorporez les œufs entiers et les jaunes en battant. Ajoutez lentement la moitié du lait et de la crème fraîche, en fouettant constamment jusqu'à obtention d'une crème bien lisse.

3. Versez alors cette crème dans la casserole contenant le reste du lait et de la crème fraîche et laissez cuire sans cesser de fouetter (et en prenant garde à ce que la crème n'attache pas dans le fond), jusqu'à ce que quelques bulles commencent à se former à la surface. Retirez du feu et fouettez 1 minute ou 2 hors du feu. Passez votre crème au chinois au-dessus d'un autre petit saladier propre, puis ajoutez la vanille en fouettant toujours. Posez une feuille de film alimentaire en l'ajustant à la surface de votre crème et laissez refroidir à température ambiante.

4. Réfrigérez ensuite directement le saladier ou transvasez préalablement votre crème dans des coupes de service. Servez bien frais. Ces crèmes dessert se conserveront jusqu'à 5 jours au réfrigérateur.

# Napoléons Wisteria Lane

Tout comme le mille-feuille traditionnel, voici un gâteau qui alterne des couches de biscuits sablés avec de la crème dessert, vanille ou chocolat. On le prépare la veille et, le lendemain matin, les biscuits sont bien imprégnés de crème. L'ensemble est alors suffisamment solide pour être découpé en petites tranches bien nettes. L'idéal serait bien sûr des Graham crackers américains, mais, à défaut, les Digestive Biscuits anglais (aux rayons « Gourmet » des supermarchés) ou de simples Spéculoos feront très bien l'affaire. Si vous trouvez de vrais Graham crackers, prenez-les nature pour les napoléons au chocolat et parfumés à la cannelle pour ceux à la vanille.

RECETTE POUR 9 NAPOLÉONS
TEMPS DE PRÉPARATION : 10 MIN
+ AU MOINS 6 H AU RÉFRIGÉRATEUR

***Crème dessert double chocolat*** **(voir recette p. 254)**
**ou *Crème dessert à la vanille* (voir recette p. 255)**
**200 g (env.) de biscuits sablés nature ou à la cannelle**
**Sucre glace ou cacao en poudre (facultatif)**

1. Préparez la crème dessert de votre choix selon les indications de la recette et laissez refroidir à température ambiante avec un film alimentaire bien ajusté à la surface pour éviter la formation d'une peau.
2. Tapissez le fond d'un moule à manqué carré (de 20 x 20 centimètres de diamètre) de biscuits sablés. Etalez ensuite la moitié de la crème dessert, puis une autre couche de biscuits, puis le reste de crème dessert, et terminez par une couche de biscuits. Couvrez de manière à ne pas laisser passer d'air et réfrigérez au moins 6 heures ou, mieux encore, jusqu'au lendemain.
3. Saupoudrez votre mille-feuille de sucre glace ou de cacao en poudre si vous préférez. Coupez en 9 carrés pour former des napoléons, et servez très froid.

# Mrs. McCluskey

Mrs McCluskey n'est pas exactement le genre de femme qu'on aime rencontrer sur son chemin. Presque tous les habitants de Wisteria Lane se sont déjà frottés à son sale caractère. Et peu nombreux sont ceux qui ont eu un aperçu de ses points faibles. Il y a bien sûr Lynette, qui les a découverts par hasard, un jour particulièrement éprouvant de l'année dernière, et – du moins peut-on l'espérer – son défunt mari. Ce dernier fut vraisemblablement le seul à connaître le péché mignon de Mrs McCluskey, la *Nougatine aux cacahuètes*, ainsi que ses effets bénéfiques sur l'humeur de sa femme, laquelle cessait de se plaindre pendant quelques furtifs mais précieux instants.

Sans doute ce miracle doit-il être mis sur le compte de l'activité masticatoire intense requise pour la dégustation de cette gourmandise. Mais dès que Mrs McCluskey commence à préparer sa friandise préférée, elle devient une tout autre femme. Dommage que ses voisins n'aient pas encore trouvé le moyen pour qu'elle en fasse une occupation à plein temps...

# Nougatine aux cacahuètes

RECETTE POUR ENVIRON 30 MORCEAUX DE 5 CM
TEMPS DE PRÉPARATION : 5 MIN
TEMPS DE CUISSON : 20 MIN

**Huile végétale**
**400 g de sucre en poudre**
**125 ml de sirop d'érable**
**30 g de beurre doux**
**1 cuill. ½ à café de levure chimique**
**200 g de cacahuètes grillées à sec, salées ou non**

1. Huilez généreusement une plaque de cuisson et une spatule métallique, puis réservez. Préparez aussi un bol d'eau froide ainsi qu'un pinceau à pâtisserie.

2. Mélangez le sucre et le sirop d'érable avec 60 millilitres d'eau dans une grande casserole à fond épais, puis portez à ébullition sur feu modéré, en mélangeant jusqu'à dissolution complète du sucre. Laissez cuire jusqu'à atteindre 145 °C, sans remuer mais en chassant au fur et à mesure les cristaux de sucre qui se forment sur les bords de la casserole à l'aide du pinceau trempé dans l'eau. Votre caramel doit rester d'une jolie couleur ambrée très claire.

3. Incorporez le beurre en morceaux au caramel en tournant doucement la casserole. Le caramel va mousser et sa température baisser. Poursuivez la cuisson jusqu'à 150 °C.

4. Retirez du feu et ajoutez la levure hors du feu. Attention à la mousse ! Ajoutez les cacahuètes tout en mélangeant, et versez aussitôt votre nougatine sur la plaque de cuisson huilée. Répartissez-la en une couche uniforme à l'aide de la spatule métallique et laissez refroidir entièrement.

5. Glissez ensuite la spatule sous la plaque de caramel pour la décoller, et cassez-la en gros morceaux à l'aide d'un rouleau à pâtisserie. Bien enfermée dans une boîte hermétique, cette nougatine se conservera jusqu'à 2 semaines.

**Note :** Cette recette requiert impérativement un thermomètre à sucre. Des cacahuètes salées apporteront un contraste intéressant avec le goût sucré de la nougatine.

# Cuisine et confidences :

## Dans les coulisses de *Desperate Housewives*

Pour faire en sorte que les plats que vous voyez à l'écran chaque semaine dans les épisodes de votre série préférée aient vraiment l'air appétissants, ce n'est pas une mince affaire en plateau. L'opération nécessite la présence d'une équipe complète de professionnels, coûte beaucoup d'argent et requiert pas moins de vingt à trente versions de la moindre préparation.

Le travail des stylistes culinaires est très différent ici de ce qui leur est demandé sur les tournages publicitaires, où les aliments doivent essentiellement *paraître* alléchants à l'image, sans être forcément comestibles dans la réalité. Sur le tournage d'une série, la nourriture doit être non seulement parfaitement présentable à l'écran, mais être également savoureuse, car elle doit faire envie aux acteurs qui la consomment.

April Falzone Garen est la styliste culinaire de *Desperate Housewives.* Elle a travaillé sur le tournage de nombreuses séries télé, elle est donc comme un poisson dans l'eau sur le plateau de *Desperate Housewives,* surtout lorsqu'il s'agit de préparer les somptueux dîners donnés par Bree Van De Kamp. Mais, même en dehors des grandes occasions, tous les épisodes comportent toujours quelque chose à boire ou à manger – ne serait-ce que les cookies omniprésents dans la cuisine des Scavo ou les margaritas dans la salle de bain des Solis. Et pour donner forme à ces scènes et les rendre bien réelles, il faut du temps, de la préparation et l'amour du travail bien fait.

## OUTILS DE PRO

Voici le matériel de base d'une styliste culinaire :

- Couteaux
- Planche à découper
- Film alimentaire
- Serviettes en papier
- Mini-outils de jardinage
- Ustensiles de découpe (pour tailler les aliments et y sculpter des formes)
- Cure-dents
- Papier sulfurisé
- Ficelle
- Pinceaux (pour glacer les gâteaux)
- Chalumeau de cuisine (pour donner un aspect croustillant ou simplement un peu de couleur aux aliments)
- Couteau zesteur (pour décorer les assiettes de zestes de citron)
- Paprika (pour donner de la couleur et du goût)

Le processus démarre dès que Melody Miller-Melton, la chef accessoiriste, a le script entre les mains. Elle épluche alors minutieusement le texte pour identifier toutes les scènes qui comportent des aliments. Une fois le script analysé, c'est au tour de la styliste culinaire de se mettre au travail. April prépare tous les aliments à filmer, depuis les biscuits jusqu'à la bouillabaisse, en passant par les boulettes de pommes de terre.

Son travail consiste aussi parfois à apprendre aux acteurs à cuisiner un plat, si le script le prévoit. April réalise tout, précuit les plats, puis montre aux acteurs comment les terminer de façon à ce qu'ils aient belle allure à l'image.

Dans le cas de Susan Mayer, qui est loin d'être un cordon-bleu, la mission d'April est un peu particulière. Son équipe doit recourir à des techniques spéciales pour donner à tout ce qu'elle confectionne l'aspect le plus raté possible. Ils utilisent par exemple un chalumeau de cuisine pour carboniser un steak. Pour souligner combien Susan cuisine mal, ses légumes vapeur sont cuits trop longtemps, ce qui leur donne un aspect terne et affaissé. Autre truc tout simple : April arrose les légumes verts de jus de citron, ce qui leur fait rapidement perdre de leur superbe.

Arrêtons-nous un instant sur une scène où l'équipe a dû faire un truc vraiment surréaliste. Dans l'épisode 6 de la saison 1, intitulé « Champ de bataille », il a fallu créer une spécialité mexicaine pour une scène clé de l'intrigue. C'est la scène du fameux *burrito* au fromage qui dégouline de la table de nuit, lorsque Bree a rejoint son mari Rex à l'hôtel pour tenter de le reconquérir. Une vision d'horreur qui la perturbe au point qu'elle est incapable de faire l'amour avec lui. Toute l'équipe s'est creusé les méninges pour fabriquer cet infâme *burrito.* Ils ont fini par inventer un dispositif à l'aide d'un tube chauffé glissé à l'intérieur d'une tortilla de manière à ce que le fromage puisse en jaillir sur commande. La scène a dû être tournée trois fois, le metteur en scène et les producteurs n'étant pas satisfaits du débit du fromage qui sortait de ce satané *burrito.*

## Trucs et astuces de styliste :
## L'art de présenter les aliments à l'écran

Attention : aliments non comestibles après trucage !

- Pour leur donner un aspect brillant, les légumes sont enrobés de vaseline.
- Pour une tenue impeccable, les aliments sont parfois insuffisamment cuits.
- Pour donner l'impression que les plats sortent tout juste du four, les stylistes utilisent un spray de cuisson antiadhésif à base d'huile de colza et d'alcool.
- Pour conserver aux œufs frits leur « fraîcheur » pendant plusieurs jours, il suffit de les faire flotter sur une couche d'huile.
- Pour fabriquer de la fausse crème glacée, il suffit de façonner de la purée de pommes de terre ou de la fécule de maïs selon la forme voulue.

En règle générale, les stylistes culinaires évitent tout plat à base de viande ou de poisson, qui se dégradent trop vite. De surcroît, beaucoup d'acteurs étant végétariens, April déguise du soja en plats ordinaires, ou s'arrange pour proposer aux acteurs des aliments qui leur conviennent, par exemple des légumes.

Sur le plateau, il y a pas moins de trois réfrigérateurs industriels, des éviers portables et des centaines d'assiettes chaudes. Les accessoiristes travaillent vingt-quatre heures sur vingt-quatre pour élaborer les recettes et mettre en situation les aliments.

April est maman de triplés, ce qui l'aide certainement à assumer ce poste exigeant. Sa tâche n'est pas une sinécure et demande pas mal d'abnégation. Sa seule ambition, en tant que cuisinière, et sa seule gratification, c'est de mettre l'eau à la bouche des téléspectateurs du monde entier qui regarderont les épisodes de *Desperate Housewives.* Ce n'est qu'à cette condition qu'April et son équipe peuvent être sûrs d'avoir rempli leur mission.

# Les petits secrets d'April

- Pour maintenir en place des sandwichs sur un plateau porté par un personnage, on enduit celui-ci d'une petite quantité de fromage blanc pour que les sandwichs adhérent bien.
- On pique des cure-dents dans les sandwichs pour éviter qu'ils se promènent sur le plateau.
- Je sucre la crème Chantilly à l'aspartame pour la rendre moins calorique.
- Pour assurer la continuité visuelle d'une prise à l'autre, il faut confectionner jusqu'à trente versions de chaque plat.
- Dans l'épisode où Susan fait brûler délibérément le steak du Dr Ron, l'équipe avait préparé vingt steaks. Mais ils étaient tous trop tendres et trop faciles à couper. J'ai donc fini par insérer des cure-dents horizontalement dans l'épaisseur de la viande pour que l'acteur ait beaucoup de difficultés à la couper.

- Dans un autre épisode, Lynette doit manger du bacon cru à la suite d'un pari. On a fait venir spécialement d'Allemagne un bacon fumé et séché, qui a ensuite été découpé par un boucher professionnel pour lui donner l'apparence du bacon cru.
- Je goûte tous les plats pour vérifier leur saveur.
- Dans les scènes impliquant la présence de salade verte, je ne mets jamais d'assaisonnement, qui « cuirait » les feuilles et nuirait à leur présentation.

# SOURCES

Chili en poudre
Paprika fumé espagnol (piment doux ou fort)
Paprika fort hongrois
www.lepiceriedebruno.com

Sauce abodo et/ou piments chipotle en boîte dans la sauce abodo
Farine de maïs pour tamales
Feuilles de maïs séchées pour tamales
www.dos-mexicanas.com

Chocolat mexicain à la cannelle
www.cacaoandco.com

Cèpes séchés en lamelles
www.testadaz.com

Riz arborio italien
Farine de sarrasin
www.bienmanger.com

Copeaux de noix de coco sucrés
Lait de coco
www.asiamarche.fr

Panko (chapelure japonaise)
www.epiceriedumonde.com

Pam spray (spray de cuisson antiadhésif)
www.originalpam.fr.nf

# INDEX

C

## Q

## V



## Y

Achevé d'imprimer en France par Pollina
Dépot légal : Septembre 2007
N° d'édition : 25748
ISBN : 978-2-226-14431-7
N° L47182

# Bree

# LA CUISINE DES DESPERATE HOUSEWIVES

gastronomie est bien le cadet de ses soucis. Et si l'ancien mannequin Gabrielle Solis apprécie très certainement la grande cuisine, il est bien sûr hors de question qu'elle s'abîme les ongles à préparer elle-même de bons petits plats. Seule Edie Britt, dont les talents culinaires font partie de l'arsenal de séduction qu'elle déploie auprès des hommes, est capable de jolies prouesses susceptibles d'exciter les papilles, et peut éventuellement se mesurer à Bree.

Wisteria Lane offre donc l'image d'un quartier idéal, où les soufflés ne retombent jamais et où les pelouses verdoyantes sont toujours impeccablement tondues. Ses habitants trouvent immanquablement leur journal devant leur porte chaque matin et les relations de voisinage sont chaleureuses... C'est en tout cas ce que laissent croire les apparences. Mais chacune d'entre nous sait qu'elles sont trompeuses et que la perfection n'est pas de ce monde. Car les secrets finissent inévitablement par remonter à la surface. L'herbe est peut-être verte, mais qui sait s'il ne s'agit pas d'un trompe-l'œil ? Les façades des jolies maisons semblent parfaites, mais leurs fondations sont peut-être rongées par les termites. Et sur les fourneaux de nos maîtresses de maison préférées, les soufflés retombent en réalité plus souvent qu'à leur tour (sauf chez Bree Van De Kamp, bien sûr). Il en va ainsi de la cuisine comme de la vie : ce n'est qu'à force de pratique et à l'aide d'un solide sens de l'humour que l'on tire des leçons de ses erreurs.

Entre le tristement célèbre *Gratin de macaronis* de Susan (bizarrement à la fois brûlé et pas assez cuit) et les *Quesadillas* de Gabrielle (qui ressemblent étrangement à celles de son restaurant mexicain préféré), en passant par le *Poulet frit mariné au babeurre* de Lynette, les petits plats de Wisteria Lane ont ce petit goût unique qui fait le charme de ses habitants.

Les recettes que vous allez découvrir dans *La cuisine des Desperate Housewives* montrent toute la gamme des styles culinaires, des personnalités et des talents des femmes de Wisteria Lane. Ces pages vous rappelleront que nous sommes toutes différentes. Si vous êtes comme Bree, vos repas témoignent sans doute d'un savant équilibre entre des plats aussi succulents que merveilleusement présentés. Si vous êtes plutôt comme Susan, il vaut peut-être mieux que vous gardiez sous la main une bonne dose d'épices pour masquer les défauts de vos préparations. Et c'est parfait comme ça ! Car ce sont précisément nos différences qui donnent toute la saveur de nos vies et qui font qu'elles valent la peine d'être vécues.

*Pour le commun des mortels,*
*manger, c'est atteindre le ciel*
— PROVERBE CHINOIS

# INTRODUCTION

ON DIT QUE LA DIVERSITÉ EST LE SEL DE LA VIE. ET EN EFFET, UN PEU DE piquant n'est jamais superflu pour pimenter nos vies et leur apporter ce petit supplément d'âme qui les rend tellement plus intéressantes.

Il n'en va pas autrement à Wisteria Lane, et c'est dans leur cuisine, entre épices et condiments, que nos maîtresses de maison préférées dévoilent leurs personnalités, aussi riches que variées. Tous les secrets, les intrigues et les confidences qui s'échangeaient à mots couverts dans les offices des anciens rois et des grands de ce monde font bien pâle figure en comparaison des mystères que détiennent les femmes de Wisteria Lane. Susan Mayer, Bree Van De Kamp, Lynette Scavo, Gabrielle Solis… sans oublier Edie Britt (même si l'on peut difficilement la qualifier de maîtresse de maison) : entre casseroles et fourneaux, chacune laisse transparaître un peu de sa véritable nature. Dis-moi ce que tu mijotes et je te dirai qui tu es. Ainsi, les recettes préférées des *Desperate Housewives* en disent long sur elles. Mais n'est-ce pas le cas de nous toutes ?

Prenez Bree Van De Kamp. Son énorme réfrigérateur inox à double porte et froid ventilé ainsi que sa table de cuisson grande largeur qui trône sur son îlot géant ne sont pas là pour le décorum. Ces appareils électroménagers font partie intégrante de la personnalité de Bree, une femme qui voue un véritable culte à l'art de la table. Et c'est tout naturellement dans cette pièce que Bree célèbre ses bonheurs et se console de ses peines. Même si ses voisines apprécient elles aussi la bonne chère, aucune d'entre elles n'oserait concurrencer Bree sur ce terrain.

Susan Mayer est une maman divorcée aux dons culinaires « limités », mais elle se montre toujours prête à tenter sa chance. Quant à Lynette Scavo, la plus pragmatique, elle ne sait déjà plus où donner de la tête entre son travail exigeant et sa vie de famille. Elle ne prétend donc pas une seule seconde au titre de maître queux et la

# Edie 218



# Les Voisins 240

## Lynette 172

# Gabrielle 130

# Susan 72

# SOMMAIRE

Je voudrais dédier ce livre
à toutes ces délicieuses créatures
qui ont fait de ma vie un régal...
j'ai nommé Brenda, Marcia, Teri,
Eva, Nicollette et Felicity.

— Marc Cherry

Traduit de l'américain par Anne-Charlotte Laumond et Paola Appelius



ISBN : 978-2-226-14431-7

Édition originale aux États-Unis et au Canada par Hyperion sous le titre *The Desperate Housewives Cookbook : Juicy Dishes and Saucy Bits.* Publié en français avec l'accord de l'éditeur original pour les États-Unis : Hyperion, New York.



Graphisme : Deborah Kerner / Dancing Bears Design

# LA CUISINE DES DESPERATE HOUSEWIVES

*Mettez du piquant dans vos assiettes !*

RECETTES DE Christopher Styler

TEXTES DE Scott S. Tobis

D'APRÈS LA SÉRIE CRÉÉE PAR Marc Cherry

LA CUISINE DES
# DESPERATE HOUSEWIVES